筑摩選書

栩木伸明／編訳
Tochigi Nobuaki

世界文学の名作を「最短」で読む

日本語と英語で味わう50作

世界文学の名作を「最短」で読む　目次

Ⅲ　愛と欲　107

IV　野生と文明　151

世界文学の名作を「最短」で読む

日本語と英語で味わう50作

Illustration : Emi Ueoka
Design : Norikazu Kanda

ブンガクの試食のすすめ――本書のトリセツに代えて

いいものをほんの少しだけ味わってみてください。いいものには種類がたくさんありますので、あれもこれも少しずつ、取り揃えております……。

ここはブンガクのデパ地下です。食わず嫌いのひとたちには振り向いてもらえるように、舌が肥えたひとたちにはにやりと微笑んでもらえるように、おいしいものをちょっとずつ集めてこの本をこしらえました。

一口サイズにしたので一ページで読み切り。短い詩なら全文を、長い詩なら読ませどころを、戯曲ならば山場を少々、小説ならば忘れがたい一節を、などなどいろいろ詰め合わせて一冊にまとめました。ブンガクに頻出するテーマを目安にして、〈Ⅰ　ことばと沈黙〉〈Ⅱ　謎と不安〉〈Ⅲ　愛と欲〉〈Ⅳ　野生と文明〉〈Ⅴ　ここと彼方〉という五つのセクションに分けました。各々十編の読み切りが入っています。あくまで自称ですが、「最短」の一節で名作を味わおうという欲ばった詞華集《アンソロジー》です。

どこからでもいいので、まずは開いたページに描かれた現場にひたってみませんか?

古今東西、時空を隔てた遠い彼方で繰り広げられたドラマの一場面や、見知らぬひとの思いの一端が書きとめられた文章を、英語と日本語で（本書の副題とは順序が逆になりますが、できれば英語を先に——その理由はすぐ後で述べます）じっくり読んでみてください。じっくりと言っても、わずか一ページですからすぐに読めます。語り手や登場人物が何をどう考えて発言しているのか、どんな立場でつぶやいているのか、想像しながら読んで下さい。ほんのひととき、語り手と視線を共有して文章の世界を内側から生きてみてほしい。目の前のテクスト内で起きているできごとを、皆さんの経験（人生経験だけでなく、読書経験や映画経験も含みます）や記憶（擬似記憶、ねつ造記憶も）と照らし合わせてみてほしいのです。文章と皆さんのあいだになんらかの接点が見えてくるようなら、ブンガクのおいしさを味わったと言えるでしょう。

しゃべっているのは誰なのか、彼女（彼）をめぐる人間関係はどうなっているのか、この人物はどうしてこんなふうに考えるのかをめぐる疑問が当然生じるはずですから、そういうときは解説を参照してください。作者の略歴もつけてあります。

「どこからでもいい」と言われても困るので、「どこか入り口を教えて！」と尋ねられたら、「〈Ⅲ　愛と欲〉におさめた十編のうちのどれかからはじめてはいかがでしょうか」とお答えしましょう。このセクションにはたぶん、悲喜交々の人間ドラマがいちばんストレートにあらわれていますので。

ちなみに、五つのセクションの中のそれぞれ十編のパッセージは、作者の生年が古い順に並べておきましたので、最初から順に読んでいくと「昔から今へ」という流れになっています。

＊

この本に英語と日本語のテクストをおさめた理由について、少し説明させてください。日本語を先に掲げたほうがとっつきやすいので、そのようにしてあります。また、本書の副題は「日本語と英語で味わう50作」と銘打っていますが、もともとあったのは英語テクストで、日本語テクストはすべてぼく自身が英語から日本語に翻訳したものです。

本書の企ては、イギリスやアメリカなど、英語圏で書かれた詩を英・日バイリンガルで読めるアンソロジーをつくりたい、という思いからはじまりました。英語詩には日本語詩とは全く異質な筋道の立て方や、装飾のつけ方や、音楽性がありますが、それらの特徴はまず英語で読んでから、日本語に翻訳しようと試みると、とてもきわだちます。そのきわだちがスリリングなので、バイリンガルのテクストに解説をつけたアンソロジーを編集して、一般読者の皆さんと読みのスリルを共有してみたいと思ったのです。

編集作業をすすめるうちに、この本はごらんの通り、物語などの散文作品も加わる結果となりました。英語圏の詩や小説や戯曲のみならず、ギリシア・ローマの古典も、ヨーロッパ各国の近代文学も、中国の漢詩も、日本の古事記も、この本では英語（訳）で読んでいただきます。散文でも詩でも、ひとつのテクストを、日本人の大半にとって最も身近な外国語である英語と、母語である日本語で二度読みすることは、テクストに深く入りこむための有効な方法だと考えるからです。

なぜ有効なのでしょうか？

引っかかるところが多い――がんばって読んでもよくわからないところが残りがちな――英語に取り組んで、文章を苦心して日本語になおしながら前へ進む作業を続けていると、日本語だけで読む文学作品よりも案外深い読みに達することができそうだから。訳読なんて、今では流行らない方法ですが、行きつ戻りつしながら、喰い戻しするように——牛に倣《なら》って——テクストと向き合うことで、中味の深いところまでたどりつけるように思えるから。これは経験から言えることです。

なお、そうやって英語を精読するためには辞書を引かなければなりません。脱線になりますが、ちょっとアドバイスを書いておきましょう。まず、自分が思っているほど文章は読めていない、と自覚するところからはじめるのがいいと思います。辞書はよく引きましょう。とくに英和辞典です。あたりまえの単語であればあるほど、隠れた意味や派生的な意味がぎっしりぶら下がっていますので、英文を読んでいて違和感を感じたら、納得がいく語義が見つかるまで、辞書とにらめっこしましょう。

そうして辞書を活用しながら、牛のようにゆっくりと英語を読みこんで、納得できる日本語に移していきましょう。ときどきぼくの邦訳と読み比べながらやってみてください。

するとここで、ブンガクの試食効果が出てきます。デパ地下で各地方の名産を試食するとき、あるいは高価なお酒をお相伴するとき、クセのある味の食物や高価な珍味を目の前に出されたときなどには、誰しも舌に神経を集中して、口慣れしていない美味を取り逃がさぬよう、大切に、ていねいに賞味するのではないでしょうか？

そして、経験したばかりの美味を自分自身の表現にホンヤクして、隣にいる家族や友人に伝えようとするのではないでしょうか？

デパ地下で珍味を試食して、その味を語ろうとする行為は、英・日バイリンガルで文学作品を精読する作業と一脈通じているのです。正体がよくわからない珍味を自分のことばで表現しようと試みることは、よくわからない英語を読みながら頭の中で日本語に言い換えようとすることに似ています。この場合、英語を日本語に翻訳したとまでは言えないかもしれませんが、「言い換え」を試みることは「読む」よりも「書く」に近い行為です。読みながら書いているのですから、読みが深くなっても不思議はないのではないか?

そういうわけで、理想を言えば、英語テクストを先に読んでほしいのですが、最初のうちは日本語訳のほうから読んでいただいて構いません。でも、テクストを日本語→英語の順番で読むことに慣れてきたら、ぜひ順番を切り替えて、英語を先にしてみてください。試食効果がいっそう高まるはずです。

もうひとつのおすすめは、英語テクストを音読してみること。この本におさめた英語テクストには、古くて堅苦しい英語、韻律の節目が規則的な英語、口語のメロディーが流れる英語、地域や階級に根ざした慣用句が含まれる英語など、さまざまな文体のものがあります。文体が奏でる多様な音楽を皆さんそれぞれの声でぜひ体験してみてください。

そうこうするうちに、いくつかの試食テクストは実感とともに、皆さんの心に染みこむかもしれません。心に染みこんだテクストの数々は皆さんが後日、新しいブンガクを読むときのモノサシになります。いつの日か、試食テクストの中で気に入ったものをフルサイズで楽しんで――全編読破!――してもらえれば、ブンガク仲介者――試食販売者――としてこれにまさる喜びはありません。

＊

次に本書の解説についてひとこと。解説のあちらこちらに互いを照らしあう鏡みたいなリンクが見つかると思うのですが、お気づきでしょうか？

たとえば、アイルランド古詩の解説（Ⅰ「嘘つき」）では文学と嘘の関係が話題になっていますが、中国の漢詩（Ⅴ「ふとしたときに」）とイギリスのオーウェルの小説（Ⅴ『１９８４年』）の解説でも嘘のことが話題になっています。ペルシアの四行詩（Ⅰ『ルバイヤート』）とイングランドの物語詩（Ⅱ「その血はなんだい？」）の解説では、詩のテクストや翻訳にブレがあるせいで詩の内容が豊かになるケースが語られています。イギリスのシェイクスピア（Ⅰ「ソネット18番」）、アメリカのディキンソン（Ⅰ「詩人たちはランプに点火するだけで――」）とプラス（Ⅱ「打ち身」）の詩の解説では、これらの詩人たちが隠喩の力をいかに使いこなしたかが説明されています。

アメリカのホーソーン（Ⅱ「ウェイクフィールド」）とメルヴィル（Ⅱ「バートルビー」）、ロシアのゴーゴリ（Ⅴ「外套」）、チェコのカフカ（Ⅳ「断食芸人」）の小説について解説した文章を読み較べてもらえれば、これらの作家たちが異口同音に人間存在が持つ謎の部分、あるいは人間と世界との不調和とか絶望、ないしは不条理といえそうな問題を扱っているのがわかっていただけると思います。

日本で活躍したラフカディオ・ハーン（Ⅰ「耳なし芳一の話」）、イギリスのルイス・キャロル（Ⅴ『不思議の国のアリス』）の物語について論じた解説では、言語によってのみ構築できる――実体がないはずなのに堅固な――文学世界の特質が語られています。他方、イギリスのワーズワース（Ⅳ「問い返し」）、コールリッジ（Ⅳ「年老いた船乗りの詩」）、アメリカのポー（Ⅳ「アルンハイムの地所」）、スティーヴンズ（Ⅳ「壺の逸話」）の作品をめぐる解説では、自然と芸術が結びあう関係のさまざまな形が紹介されています。

つい先ほど、読みつつあるテクスト内で起きているできごとを皆さん自身の記憶と照らし合わせると接点が見つかるはず、という話をしましたが、時空を隔てた文学作品どうしにもテーマや内容の点で響き合い、というか呼応関係がしばしば見つかります。ことばにはどんな力や使い道があるのか、とか、人間は共同体の中で、あるいは自然界で、どう生きていけばいいのか、などをめぐる入り組んだ諸問題は、大昔から世界各地の文学作品において模索されてきたからです。

たとえば、十七世紀にイギリスのロンドンで起きたペストの大流行の状況を回顧した文章（Ⅱ『ペストが流行した年の日記』）を今（二〇二一年）読んで、ぼくたちが経験しつつある新型コロナウイルス感染症のことを思い合わせたとしたら、疫病で苦しんでいるのはぼくたちだけではないことがわかります。その昔ロンドンに生きたひとびとの状況判断のしたたかさや、果敢きわまる行動力に学ぶことで、ぼくたち自身も勇気を奮い立たせることができるでしょう。

この本の中で響き合うあれこれの関係を探すことによって、温故知新――古い事例をくわしく知ることで新しい対処法を知ること――のきっかけが得られるかもしれません。

＊

最後に「世界文学」ということについても少しだけ解説、というか弁明させてください。『世界文学の名作を「最短」で読む』と名づけたこの本は、古今東西の文学からおいしいところをちょっとずつ集めてきて、皆さんに賞味していただくためにつくったのですが、「名作」集を名乗るには小さすぎるし、「世界文学」と銘打つには網羅的でないし、だいいち、すべての〈試食〉品が英語（訳）と日本語訳で提供されているので、ものすごく偏っています。

それでも、こんなに偏食だらけの〈試食〉品集でも「世界文学」を名乗ることが許されているのです。ぼくは以下に引用する、スラブ文学者沼野充義先生のことばを杖にしてこの本をこしらえました。沼野先生は世界文学を論じながら、「世界文学というのは世界の名作の目録を解説することではなく、自分の外に広がっている世界の多様な文学に向き合う自分なりの読み方のことだ」（『世界文学論』作品社、二〇二〇年、三ページ）と書いています。ようするに昭和時代に繰り返し刊行された、何十巻もあるような世界文学全集を読破する代わりに、自分なりの読み方を磨くことそのものが「世界文学」になりうる、ということ。議論はさらにこう続きます——

つまり、世界文学とは読み手が世界にどう関わるかの形式であって、読破することなどとうていできない膨大な文学のごく一部でも提喩的に世界文学を指し示すことは可能なのだ。デイヴィッド・ダムロッシュは『世界文学とは何か？』の末尾で、世界文学に関する三つの定義を掲げているが、その最後のものは「世界文学とは一定の正典目録ではなく、読みの様式（a mode of reading）である」となっている。「読みの様式」と直訳すると分かりにくいが、これは平たく言えば、なんのことはない、世界文学は「あなたがそれをどう読むかだ」ということではないか。私自身、ダムロッシュがこのような定義を高らかに掲げるずっと前から、そういう読みを実践してきたので、ダムロッシュの本が出たとき、自分の言いたかったことが見事に言い表されて、それを書いたのが自分ではないことを残念に思ったほどだった。要するに、本書の「世界文学」とは、私が世界文学をどう読んできたかなのだ。（同書、三ページ）

この文章を読んで、目から鱗がばさっと落ちました。「世界文学は「あなたがそれをどう読むかだ」の「あなた」は、ぼくたち皆でもありうるからです。

そういうわけですから、ぼく自身のごく限られた読書の中から五十編の短章を選び、ぼく自身の読み癖にもとづいた解説をつけた、ささやかなこの本を、読者である「あなた」に胸を張って差し出すことにします。「これがぼくの世界文学です。あなたの世界文学の話を、そのうち聞かせて下さい」ということばを添えて——。

●ブンガクの四つのかたち

この本ではブンガクを〈抒情詩《じょじょうし》〉〈物語詩〉〈戯曲〉〈散文物語〉の四つのかたちに分けてみ

あります。

ました。各々のテクストのタイトルの上部に、四つのどれかがかっこよく英語で（！）書いてあります。

〈Lyric〉（抒情詩）は作者が語り手の仮面をつけて心の内を語る詩です。作者と語り手は必ずしもイコールではありませんが、語り手が作者の分身であるばあいも少なくありません。このタイプの詩は昔も今も、どの文化でも、楽器にあわせて歌われることがよくあります。流行歌などの「歌詞」は英語では"lyrics"といいます。

〈Narrative poem〉（物語詩）は物語を詩や歌に乗せて語るブンガク。戦記物や怪異譚、昔話や教訓話などが耳に心地よいリズムを持った詩形に乗せて語られてきました。作者不明の物語詩が伝承されているケースが多いですが、近代以降は個人作家が伝承歌謡のスタイルを真似てこしらえることも少なくありません。じつはこのタイプの詩も、実際に歌唱されてきました。よく知られたメロディーに新しい物語詩を〈替え歌〉として乗せて、歌うこともあります。

〈Drama〉（戯曲）はお芝居。セリフが韻律を伴う詩で語られるものや、散文で語られるものがあります。詩で書かれた長ゼリフはしばしば、朗唱すると高揚感を誘います。

〈Narrative prose〉（散文物語）というのは作り話や伝承譚の語り直しなど。近代の小説、短編小説、空想的な物語、虚構の要素を含む記録文学もここに含めました。

これら四つのブンガクのかたちを意識しながら、この本を読んでみてください。一脈通じ合うかたちを持つ作品のあれこれが時代や文化を越えて、想像力のリンクをつないでいるように思えてくるかもしれません。不思議ですね。

I

ことばと沈黙

Narrative Poem

ホメロス『オデュッセイア』（第九巻より）

ねぐらから出て、一つ目の種族がぞろぞろと、
裂けた岩々やら、吹きさらしの山々からぞろぞろと、
皆、大急ぎで集まってきて、聞き慣れたそいつの声が
わめきちらす理由を知ろうと、洞窟の入り口に群がった。
「何かに痛めつけられたのか、ポリュペモス？ こんなふうに
われらの眠りをさまたげ、夜を乱すのは、見知らぬ恐怖のせいか？
無防備な眠りの時間に何者かが
おまえのことを虐げるのか、ぺてんでか、力ずくでか？
それとも、盗賊がこっそりと、おまえの家畜の群れを驚かせているのか？」
連中にこう問われて、ねぐらの中からキュクロプスが答える。
「友よ、〈誰でもなし〉が俺を殺そうとしている。眠りの時間に、
ぺてんの力ずくで俺を虐げているのは、〈誰でもなし〉なのだ」
「おまえを痛めつけているのが誰でもなくて、神の手が病を
与えているのなら、甘んじて受けるより他にしかたあるまい。
ゼウス様か、おまえの父神ネプトゥヌス様に祈るがよかろう」
仲間たちはそう叫ぶと、ただちに大股で去っていった。

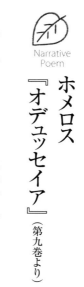

The Odyssey

Homer (Translated by Alexander Pope)

From all their dens the one-eyed race repair,
From rifted rocks, and mountains bleak in air.
All haste, assembled at his well-known roar,
Inquire the cause, and crowd the cavern door.
 'What hurts thee, Polypheme? What strange affright
Thus breaks our slumbers, and disturbs the night?
Does any mortal, in the unguarded hour
Of sleep, oppress thee, or by fraud or power?
Or thieves insidious thy fair flock surprise?'
Thus they: the Cyclop from his den replies:
 'Friends, Noman kills me; Noman, in the hour
Of sleep, oppresses me with fraudful power.'
'If no man hurt thee, but the hand divine
Inflict disease, it fits thee to resign:
To Jove or to thy father Neptune pray:'
The brethren cried, and instant strode away.

(From Book IX)

ずる賢さが身を助ける

『オデュッセイア』は、トロイア戦争に勝利したギリシア連合軍の武将のひとり、知将として知られるオデュッセウスを主人公とする長編叙事詩である。彼は引用中に登場する海神ネプトゥヌス（＝ポセイドン）の恨みを買ったせいで、トロイアから故郷イタケーへ凱旋するまでに、怪物が跋扈《ばっこ》するエーゲ海を十年間もさまようはめになる。

部下たちがロートスの果実を食べて眠りの世界に誘われたり、航海を邪魔する逆風を封じ込めた革袋を空けてしまったり、美しい歌声で船乗りを惑わす怪鳥セイレーンの群れに遭遇したときにも、オデュッセウスはなんとか窮地をきりぬける。

彼は困難を乗り越えるさいにしばしば策略を用いる。敵をだませれば、武力で押しまくる戦いよりも、味方のダメージを少なく抑えられる。ずる賢さはわが身を助ける強力な武器になりうるのだ。

さて、ここに引用したのは、一つ目の人食い巨人族《キュクロプス》のポリュペモスがねぐらにしている洞窟に囚われた、オデュッセウスと部下たちが脱出を企てるエピソードの一節。部下たちがふたりずつ順々に食われていく中で、オデュッセウスはポリュペモスにワインを飲ませ、ほろ酔い気分になったポリュペモスに名前を尋ねられると〈誰でもなし〉だと嘘を教える。その後、泥酔して眠りこけたポリュペモスの一つ目にオリーブの丸太を突き刺して、ぐりぐりと目を潰した。痛さにたまりかねてわめきたてるポリュペモスの声を聞きつけて、仲間たちが集まってはくるものの、「〈誰でもなし〉にやられた（＝「誰にもやられていない」）」と訴えるのを聞いて、拍子抜けして帰ってしまう。

この後、オデュッセウスと生き残った部下たちは羊の腹の下にぶらさがって洞窟を脱出する。ところが最後の最後に、勝ち誇ったオデュッセウスはポリュペモスに向かって自分の本名を明かしてしまう。そのうっかりミスのせいで、ポリュペモスの父である海神ネプトゥヌスの恨みを買い、故郷への帰還を妨害されることになるのだ。オデュッセウスは偉大な英雄ではあるけれど、人間くさい欠点も持ち合わせているところがたいそう好ましい。

なお、引用文の英訳者は十八世紀イギリスを代表する古典派詩人アレグザンダー・ポープである。雄渾《ゆうこん》な叙事詩を語るのにぴったりな、二行ずつ脚韻を踏む（'repair'と'air'のように行末の音を合わせる）詩型は英雄詩体対句《ヒロイック・カプレット》と呼ばれている。

サッポー「アナクトリアに捧げる頌歌」

サッポーのまなこには金色の神々と同等に見える彼。
あなたの隣に腰掛けて、あなたの素敵なお話と
その愛らしい笑い声に、神々しいほど間近で
　耳を傾けている幸せな男。

その笑い声でこの胸の心臓が高鳴った。
今もばくばくしているのです！……
おお、あなたをちらりと見ただけで
　雷に打たれたみたいに

声がわたしの喉につかえ、舌はちぎれて、
肌はほのかな炎にあぶられてうずき、
耳の中には滝の音と雷鳴が響いて、
　目の前は真っ暗闇になって、

まるで夕立のように汗がわたしを濡らし、
この体を震えが追い詰めて捕らえ、
ついにわたしは草よりもあおざめて
　息も絶え絶えになる……

"Ode to Anactoria"
Sappho (Translated by William Ellery Leonard)

Peer of the golden gods is he to Sappho,
He, the happy man who sits beside thee,
Heark'ning so divinely close thy lovely
Speech and dear laughter.

This it was that made to flutter wildly
Heart of mine in bosom panting wildly! . . .
Oh! I need to see thee but a little,
When, as at lightning,

Voice within me stumbles, tongue is broken,
Tingles all my flesh with subtle fire,
Ring my ears with waterfalls and thunders,
Eyes are in midnight,

And a sweat bedews me like a shower,
Tremor hunts my body down and seizes,
Till, as one about to die, I linger
Paler than grass is. . . .

魂が叫ぶ抒情詩

音楽と詩がつながっていた古代ギリシアでは、心の内を吐露してみせる抒情詩は竪琴《たてごと》を奏でながら歌うのが自然な形だった。叙事詩が歴史や伝説を延々と語り、劇詩が人間模様を対話の形で演じたのにたいして、抒情詩はひとり語り。抒情詩人たちは恋する乙女や、身近な人の死を悼《いた》む男になりきって歌を歌った。叙事詩はやがて小説に道を譲り、演劇はやがて散文で書かれるようになったので、現代のぼくたちが「詩」と言えば、もっぱら抒情詩のことを指す。

引用したのは古代ギリシア随一の抒情詩人、サッポーの作。彼女の詩はほぼすべて断片しか残っていない。彼女の詩のテクストが大切に保存されなかったのはこの詩にもあらわれている強烈な官能性のせいだ、という説がある。古代ローマからキリスト教の時代になると、彼女の詩は反聖書的であると見なされて、散佚《さんいつ》するにまかせられたが、故意に破壊されたのかもしれない……。こんな話を聞くと、彼女の詩がいっそう輝きを増すかのようだ。

サッポーの詩の断片は古代ギリシアの大理石彫刻の断片と同じように、完全な作品よりもかえって力強いから不思議である。タイトルの「アナクトリア」はサッポーの他の詩に登場する女性の名前。同性愛者だったサッポーの恋人とされる。

この詩は本文の断片だけが残っているのだが、英訳者（アメリカ合衆国の詩人・劇作家でウィスコンシン大学の教授、ウィリアム・エラリー・レナード〔一八七六～一九四四〕）が“Ode to Anactoria”というタイトルをつけた。また、一行目末尾の‘Sappho’も他の英訳では‘me’となっている。大学教授にありがちなサービス精神を発揮した結果、少々おせっかいな翻訳になったと言えるかもしれない。

英訳された詩はなめらかな音楽を奏でるために倒置法が多用され、上品で形式的な文体が持ち味である。そして日本語に訳してみると、取り澄ました詩行の奥の方から、語り手の生々しい魂の叫びが聞こえてくる。ところが悲しいかな、その叫びは中途で途切れてしまう。この詩は第四連までは現存するものの、そこから先は欠失したままになっているのだ。

「草よりもあおざめて／息も絶え絶えに」なった語り手は、この先の失われた詩行の中でどうなってしまうのだろう？　サッポーの抒情詩の欠けた部分を補作し、作曲して、歌ってみようというひとはいませんか？

オマル・ハイヤーム『ルバイヤート』

XII

「人の世で王になれたらどんなに愉快だろう！」と考えるひとがいて
「やがて来る楽園はどれほど尊いだろう！」と考えるひともいるけれど、
　現金だけをしっかり摑み、それ以外は捨てたほうがいい。
遠くで鳴る太鼓の音に限って華やかに響くものなのだから！

XXXIX

あれやこれやの試みや論争を飽きもせず追いかけた時間を
全部合わせたら、相当な長さになるんじゃないか？
　たわわに実った葡萄《ぶどう》の酒で陽気になればいいだろうに、
果物を採り損ねたり、まずいのを摑んだりして、悲しむよりも。

XLI

「ある」と「ない」ならモノサシと線を使って、
「上と下」ならそんなものさえ使わずに定義できたわたしだが、
　知りたいと心の底から欲したものの中で
何にも増して深入りできたのは——酒だ。

Rubáiyát
Omar Khayyám **(Translated by Edward Fitzgerald)**

XII

"How sweet is mortal Sovranty!" — think some:
Others — "How blest the Paradise to come!"
  Ah, take the Cash in hand and waive the Rest;
Oh, the brave Music of a *distant* Drum!

XXXIX

How long, how long, in infinite Pursuit
Of This and That endeavour and dispute?
  Better be merry with the fruitful Grape
Than sadden after none, or bitter, Fruit.

XLI

For "Is" and "Is-NOT" though *with* Rule and Line,
And "UP-AND-DOWN" *without*, I could define,
  I yet in all I only cared to know,
Was never deep in anything but — Wine.

(XII, XXXIX, XLI)

ブレながら知恵を語るもの

四行詩集『ルバイヤート』は、十一世紀後半から十二世紀のペルシアに生きた天文学者で数学者のオマル・ハイヤームの作。長いこと忘れ去られていたこの詩集は、イギリス人エドワード・フィッツジェラルド（一八〇九～八三）が英訳したことで新しい生命を与えられた。

フィッツジェラルドの英訳は不正確な言い換えを含み、複数の詩の内容を一編にまとめたりもしている上に、版を重ねるさいに削除や加筆がおこなわれたので、原詩に忠実な逐語訳とはほど遠い。だが訳者の死後、十九世紀末から二十世紀初頭にかけて、袖珍本《しゅうちんぼん》や挿絵入りの豪華版が多数出版されるとともに、英訳から他の言語への重訳も多数あらわれて、『ルバイヤート』は世界文学の古典のひとつになった。

引用の出典は一八五九年に出た初版である。三篇の詩を味わってみたい。

まず、「XII」の詩にはしたたかな現世主義がある。時代も文化背景も超越してぼくたちの胸のど真ん中に飛びこんでくる作だと思う。

「XXXIX」の詩には、わが『万葉集』の大伴旅人《おおとものたびと》の名歌「験《しるし》なきものを思はずは一杯《ひとつき》の濁れる酒を飲むべくあるらし」の別バージョンかと思わせるほどに響き合う、酒礼賛が歌われている。「XXXIX」を英訳からの文語邦訳で読んでみると――「如何にひさしくかれこれを／あげつらひまた追ふことぞ、／空しきものに泣かむより／酒に酔ふこそかしこけれ。」（矢野峰人訳『ルバイヤート集成』国書刊行会、二〇〇五年、四三ページ）。英語詩と万葉短歌と文語の邦訳詩が微妙にブレながら、ほろ酔いのダンスを繰り広げているようで心地よい。

オマル・ハイヤームが生きた時代のペルシアはイスラム教を奉じていたが、『ルバイヤート』に窺《うかが》えるのは、唯物的な自由思想である。酒を誉める詩をスーフィズム（イスラム教神秘主義）の視点から読むと、酒は神の愛の象徴と解釈できるが、詩人は酒そのものを愛し、飲酒が持つ解放感を味わっていたらしい。

フィッツジェラルドが英訳版につけた注によれば、「XLI」の詩はおそらく作者自身の専門分野である「数学を茶化したもの」。英訳の奔放さがどの程度か知るために、原典から訳出された邦訳と読み比べてみよう――「おれは存在と非存在の現象を知った。／あらゆる栄枯盛衰の真実を知った。／だが、酔いをこえる境地を知ったら、／そうした知識のすべてはとるに足らぬもの。」（岡田恵美子編訳『ルバーイヤート』平凡社、二〇〇九年、一二四ページ）。酒に酔うことを越える陶酔の境地があるのか、ないのか、後半二行の内容の微妙なズレが興味深い。

かくして、文学作品が物語る知恵は新訳や重訳が繰り返されることにより、時代や国境や文化を越えて生き延びる。歴代の翻訳に付随するブレやノイズはテクストの含意をより豊かにしていくのだ。

作者不明
「嘘つき」（冒頭三連のみ）

嘘つきよ、教えておくれ
　おまえがひたすらまき散らす
嘘の数さえわからないのに
　そのお返しをどうすればいい？

食い詰めて近所の家を訪ねても
　何ももらえた試しはないが
神を称えよ、おまえは裕福
　客人に心ゆくまで与えて帰す

気前よく嘘を振る舞ったって
　フトコロは痛まないのが幸運な奴
嘘を持ってたわけでもないのに
　おまえは嘘を振る舞い続けた

“The Liar”

Anon. (Translated by Frank O’Connor)

O you liar tell me this
  How can anyone repay
When he cannot even count
  All the lies you give away?

Many and many a poor man turns
  Empty from your neighbours’ doors;
Praise the Lord who keeps you rich,
  All men get their fill at yours.

For you suffer no decrease —
  Such is liars’ luck they say;
And you never had a lie
  But you gave the lie away.

(The first three stanzas of the poem)

嘘つきは文学のはじまり

黒い嘘は泥棒のはじまりだけれど、白い嘘は文学のはじまりである。アイルランドの文人オスカー・ワイルドは百年以上前に、「嘘の衰退」というエッセイを書いて、「奇妙なほど陳腐」になってしまった同時代のリアリズム文学に苦言を呈した。小説家や詩人が自分たちの内面の退屈な記録ばかりを顕微鏡で覗きこむようになってしまったのは、ひとつの芸術であり、科学であり、社交の楽しみでもある「嘘」が衰退した結果である、と。文学者はもっと嘘をつくべきなのだ。

引用したのはアイルランドの逸名《いつめい》作者（十三世紀から十六世紀頃）が書いた、六連からなる詩の前半部分。嘘はタダだし、いくら振る舞っても減らないと豪語しているところが小気味よく、身体ひとつで勝負できる「嘘つき」は無類にたくましい。

アイルランドでさまざまなジャンルの文学が盛んなのは、こじれた歴史と無関係ではない。七〇〇年にわたる植民地支配にあえいだ小作人が生き延びるには、地主のイングランド人をだまして煙に巻くほかなかったからだ、という説を巷《ちまた》で聞いた。あるいは、貧者のオモチャはことばだから、ことばでうまいものをでっちあげたり、ことばで旅に出たり、ことばでこしらえた恋人と恋愛したりするのが手っ取り早かった、と言うひともいた。これらの説は眉唾《まゆつば》かもしれないが、白い嘘が身を助けることだけは確かだろう。

アイルランドでは古来、「嘘」のみならず、身体ひとつでおこなえる歌唱、ストーリーテリング、ダンスなどが盛んである。文書よりも口承を大切にし、濃厚な身体性をともなう対面コミュニケーションを育んだ文化の輪郭が、この詩にあらわれている。

全六連からなる詩は次のように締めくくられる――「俺は今、はたと気づいた／昨夜たしかに食ったのに、夜明けとともに／また生き返る、海神の宮の豚どもは／詩人がついた嘘だったのだと」。「海神の宮」というのはアイルランドの西の海にあるという、海神マナナーンの宮殿のこと。そこには、毎晩食べても翌朝には蘇る豚ばかりか、飲んでも減らない酒や、乳の尽きない雌牛もいるのだという。「嘘つき」を称える詩が詩人の想像力を称えて締めくくられているのを知って、あっぱれと叫びたくなった。

アイルランド語で書かれたこの詩の英訳者は短編小説作家フランク・オコーナー（一九〇三～一九六六）である。

Drama

ウィリアム・シェイクスピア『ジュリアス・シーザー』（第三幕第二場より）

貧しい人々が泣いたとき、シーザーも涙を流した。
野心とはもっと無情なものでできているはずだろう。
だがブルータスは、彼が野心を抱いていたと言う。
ブルータスはもちろん、高潔な男である。
皆も知っての通り、ルペルカーリア祭のとき、
わたしはシーザーに王冠を三度、差し出したが、
彼は三度とも辞退した。あれを野心と呼べるのだろうか？
だがブルータスは、彼が野心を抱いていたと言う。
ブルータスはたしかに、高潔な男である。
わたしはブルータスが言ったことに反駁《はんばく》するつもりはない、
自分が知っていることを語るためにここに立っている。
皆はこぞってシーザーを愛した。愛する理由があったからだ。
今、彼を悼む気持ちを抑えているのはどんな理由なのか？
ああ、思慮分別よ、おまえは獣どものもとへ逃げ去り、
人間は理性を失った。皆、どうか怒らずに聞いてくれ。
わたしの心は、あそこの棺の中にいるシーザーとともにある。
心が戻ってくるまでは、これ以上話すことができないのだ。

Julius Caesar
William Shakespeare

When that the poor have cried, Caesar hath wept;
Ambition should be made of sterner stuff:
Yet Brutus says he was ambitious,
And Brutus is an honourable man.
You all did see that on the Lupercal
I thrice presented him a kingly crown,
Which he did thrice refuse. Was this ambition?
Yet Brutus says he was ambitious,
And sure he is an honourable man.
I speak not to disprove what Brutus spoke,
But here I am to speak what I do know.
You all did love him once, not without cause;
What cause withholds you then to mourn for him?
O judgment, thou art fled to brutish beasts,
And men have lost their reason. Bear with me.
My heart is in the coffin there with Caesar,
And I must pause till it come back to me.

(From Act III, Scene 2)

演説は知よりも情に訴える

これは戯曲のサワリ。古代ローマの政治家アントニー（アントーニウス）が市民に向けておこなった演説の一節である。高揚感をかもし出すブランクヴァース（各行弱強五歩格で脚韻を踏まず、感情を込めやすいリズムを持つ）で書かれているので、ぜひ、英語を声に出して読んでみてほしい。

ジュリアス・シーザー（ユリウス・カエサル）は武将としても政治家としても傑物で、民衆から厚く支持されていた。それゆえローマ初の皇帝になってほしいと考えた執政官が王冠を三度差し出したが、彼は辞退した。謙虚さゆえの辞退とも見えたが、自分自身を「シーザー」という三人称で呼ぶ彼に、思い上がりが皆無だったとは言えそうにない。

独裁的な皇帝が誕生するのを怖れた者たちは理想家のブルータス（ブルートゥス）を抱き込んで、シーザーを暗殺した。有名な「ブルータス、おまえもか？」はシーザーの最後のセリフである。ブルータスは市民に向けて演説をおこない、暗殺の理由を説明する。自分はローマを愛するゆえに、野心の虜《とりこ》になった最愛の友人を殺したのだ、と。

ここに引用したのは、現実感覚に疎いブルータスの演説の後に、シーザーの腹心アントニーがおこなう演説の抜粋である。「友よ、ローマ市民よ、同胞の諸君よ、耳を貸してくれ。／わたしはシーザーを称えるためにではなく、彼を埋葬するためにここへ来た」と語り出す彼は、理性よりも感情に訴える。ブルータスの高潔さを繰り返し称えながら、シーザーには野心などなかったのではないか、と聴衆に自問させ、彼らの心をぐいぐいと引き寄せていく。

英語を朗読してみると、ブルータスの高潔さを称えることばが「ブルータスは、彼（シーザー）が野心を抱いていたと言う」という非難とセットになっていて、たたみかけられる疑問文によって聴き手の心を徐々に動かしていく雄弁術が、スリリングに伝わってくる。

引用部分の後、アントニーはシーザーの棺《ひつぎ》を覗き込み、ブルータスがシーザーに与えたむごい傷跡を示した後、自分の訥弁《とつべん》をわび、シーザーが残した遺言の内容——ローマ市民全員に金銭を分配し、私有の庭園を市民に開放する——を披露して、傾聴する市民たちの共感をわしづかみにしてしまう。

その結果、ブルータスは追われる身となり、破滅への道を転げ落ちていく。この芝居には政治のことばが持つ恐ろしいまでの力が表現されている。

ウィリアム・シェイクスピア「ソネット18番」

君を夏の日と較《くら》べてみたらどうだろう?
君のほうがうるわしくて、おだやかだ。
乱暴な風は五月のかわいい蕾《つぼみ》を揺らし、
夏という季節の賃貸期間は短すぎる。
天の目玉は熱く輝きすぎることがあるし、
黄金の顔が曇ることもひんぱんにある。
美しいものは何によらず、いつかは美が衰えて、
偶然や、移り変わる自然のせいで飾りを外される。
だが君の永遠の夏は今後、翳《かげ》ることはないし、
君が持つ美の所有権は消失しない。君が死の影の中を
さまよっているなどと、〈死神〉に自慢はさせない——
不滅の詩行の中で、君は〈時〉と一体になるのだからね。
　人間が息をし続け、人間の目が見えている限り、
この詩は生きる。この詩が君に生命を与えるのだ。

"Sonnet 18"
William Shakespeare

Shall I compare thee to a summer's day?
Thou art more lovely and more temperate:
Rough winds do shake the darling buds of May,
And summer's lease hath all too short a date;
Sometime too hot the eye of heaven shines,
And often is his gold complexion dimm'd;
And every fair from fair sometime declines,
By chance or nature's changing course untrimm'd:
But thy eternal summer shall not fade,
Nor lose possession of that fair thou ow'st,
Nor shall Death brag thou wand'rest in his shade,
When in eternal lines to time thou grow'st.
  So long as men can breathe or eyes can see,
  So long lives this, and this gives life to thee.

記念碑ならことばでつくれ

イングランドの夏は暑さがほどよく、昼の時間がとても長くなる。さわやかな季節なのでいつまでも続いてほしいけれど、時は決して止まらないのでそうもいかない。「君を夏の日と較《くら》べてみたらどうだろう?」の「君」は若い男性である、と研究者たちは主張する。だが問いかけの相手が男性でも女性でも、詩は問題なく読める。二行目から先、「夏の日」よりも「君」のほうがすばらしいということを、実例を挙げながら理詰めで説明していくところがおもしろい。

この詩の作者である語り手は、「君」のすばらしさを自分がこの詩で称えたからには、現実の夏とは異なり、「君」の若々しい姿が時の流れによって浸食されることはなく、「君」は永遠そのものの隠喩になったのだと言いたげである。ひとびとが英語を使い続ける限り、決して風化しないこの詩は、大理石にもまさる〈ことばの記念碑〉なのだ、と。

自信たっぷりなこの詩の作者はウィリアム・シェイクスピア。十六世紀のイングランドが生んだ世界に冠たる劇作家だが、詩人としての功績も見逃せない。この詩のようなソネット(十四行詩〉の作者としても超一流で、一五四編をおさめた『ソネット集』は名作の誉れが高い。

シェイクスピアの偉いところは、ヨーロッパ大陸で人気があった詩型をカスタマイズしたところにある。「小さな歌」を意味するソネットのお手本をつくったのは、中世イタリアの詩人ペトラルカである。彼が定式化した、〈問題提起（前半八行）と解答（後半六行）〉で脚韻（複数行の行末に同じ音を置くこと）を踏み分ける「ペトラルカ風ソネット」がヨーロッパ一円に広く流布していたのだが、シェイクスピアはこのお手本に満足しなかった。

彼は押韻《おういん》型式を四行、四行、四行、二行に変えた（すなわち一行目と三行目、二行目と四行目の行末の音を合わせてababと脚韻を踏む。五行目と七行目、六行目と八行目を合わせてcdcd。以下efefと脚韻を踏み、最後の二行がggで対句となる）。「ソネット18番」を今いちど読み直すと、〈問題提起と解答〉というよりは〈起承転結〉に似た、ドラマチックな展開が見えてくるだろう。〈転〉の四行で盛り上げた後、詩のテーマを強調してしめくくる対句がパンチラインになっているのだ。この定式はやがて、「シェイクスピア風ソネット」と呼ばれるようになった。

新しい定式を提唱したのも偉いけれど、この詩が傑出しているのは、詩の中で述べた予言が的中しているところである。書かれてから四百年もたつのに、ぼくたちは詩行の中で生き続けている「君」の存在をみずみずしく感じることができるのだから！

Lyric

エミリー・ディキンソン
「詩人たちはランプに点火するだけで――」

詩人たちはランプに点火するだけで――
本人たちは――姿を消して――
芯はかれらの手で掻きたててあり――
もしかりに命ある光明が

太陽と同様に備わるならば――
各々の時代はレンズとなって
光が描く輪の数々を
あたり一面に撒き散らす――

“The Poets light but Lamps — ”
Emily Dickinson

The Poets light but Lamps —
Themselves — go out —
The Wicks they stimulate —
If vital Light

Inhere as do the Suns —
Each Age a Lens
Disseminating their
Circumference —

詩人は死んでも詩は生き続ける

目の前にオイルランプを思い描こう。詩人はランプに火をつけただけで、どこかへ消えてしまう。ランプの芯は詩人が掻きたてていったから、火に勢いがあればきっと燃え続ける。その昔、夜間警備の鉄道員や警察官が使ったカンテラのように、このランプには目玉のようなレンズがついているので、あかあかと燃える炎は大きな輪の形に拡大されて、周囲を照らし続けるだろう。

　とはいえ、この詩はランプを讃美しようとして書いたのではなさそうだ。オイルランプは詩の隠喩である。隠喩は、「君は犬のように忠実だ」というような直喩とは異なり、ランプと詩がどのように似ているかはっきり示されていないので、どこがどう似ているか考えるのは読者のしごとである。

　書かれたり印刷されたりした詩は書いた本人よりも長生きだから、詩人が死んで（＝「姿を消して」）も残る。残った詩が読み継がれる幸運（＝「命ある光明」）に恵まれるならば、後代にさまざまな解釈を得て意味を深め（＝「レンズ」）、ランプの光の輪のように拡散し、世を照らし続けることだろう……。
〈詩にとっての勝負は詩人の死後にはじまる〉とでも言いたげな本作が、ディキンソンによって書かれたのは偶然ではない。彼女が生前に発表した詩は数編にすぎず、詩集は刊行されなかったけれど、死後、彼女の部屋の整理ダンスの中から大量の詩稿が見つかった。十九世紀末以降、詩稿は出版されて版を重ね、決定版の全詩集には一八〇〇編近い抒情詩が収められている。賛美歌の四行連をアレンジした独特の音楽を響かせる彼女の詩は、愛や死や自然や自我の内面を歌うものが多い。

なお、彼女の詩にはタイトルがついていないので、本文の一行目をタイトル代わりに掲げるのが通例である。また、彼女の詩稿を整理し、書かれた順番を推定して配列し、全詩集として出版した際、編者のトマス・H・ジョンソンが作品に通し番号をつけた。この詩は八八三番、一八六四年頃に書かれた作らしい。

ディキンソンの作品にはダッシュ（——）が多用され、文法的なつながりが多義的になるよう工夫されている。本作もその例に漏れない。他方、要所には選び抜かれた単語が置かれる。本作の場合、'Disseminating'に重みがある。「あたり一面に撒き散らす」と訳したが、ラテン語にさかのぼるこの動詞の原義は「種を蒔《ま》く」。詩という「種」が世々のひとびとに広まってほしいと願う詩人の声が聞こえるようだ。

Narrative Prose

ルイーザ・メイ・オルコット『若草物語』（第8章〈ジョー、奈落《アポリオン》の王に会う〉より）

「母さんにはわからないの。どれほどひどいか想像できるわけない！　感情に駆られるとわたし、何でもできちゃう気分になる。かんしゃく玉が破裂すると、誰彼構わず傷つけて、楽しんじゃうんだ。言いたくないけど、いつの日かわたし、とんでもないことをしでかして、人生を台無しにして、皆にきっと嫌われる。ああ、母さん！　助けて、わたしを助けて！」

「助けますよ、ジョー。大丈夫。そんなに泣かないで、今日のことを心に刻んで、こんなこと二度とないようにしようって、心の底で決めればいいのよ。ジョー、よく聞いて。わたしたちは皆、それぞれの誘惑を抱えているの。あなたのよりもずっと大きな誘惑もあって、乗り越えるのに一生掛かることも多いんだから。あなたは自分の短気が世界最悪だと思ってるみたいだけれど、わたしの短気もそっくりだった」

「母さんの短気って？　一度も怒ったことないじゃないの！」ジョーは驚きのあまり、後悔の念を一瞬忘れた。

「わたしは四十年間、自分の短気を直そうとしてきて、抑えることだけはできるようになった。わたしはほとんど毎日、怒っているのですよ、ジョー。でもね、怒りを隠せるようになったの。怒らない人になりたいと思ってはいるけど、まだあと四十年くらいかかりそうね」

Little Women
Louisa May Alcott

"You don't know; you can't guess how bad it is! It seems as if I could do anything when I'm in a passion; I get so savage, I could hurt any one, and enjoy it. I'm afraid I *shall* do something dreadful some day, and spoil my life, and make everybody hate me. Oh, mother! help me, do help me!"

"I will, my child; I will. Don't cry so bitterly, but remember this day, and resolve, with all your soul, that you will never know another like it. Jo, dear, we all have our temptations, some far greater than yours, and it often takes us all our lives to conquer them. You think your temper is the worst in the world; but mine used to be just like it."

"Yours, mother? Why, you are never angry!" and, for the moment, Jo forgot remorse in surprise.

"I've been trying to cure it for forty years, and have only succeeded in controlling it. I am angry nearly every day of my life, Jo; but I have learned not to show it; and I still hope to learn not to feel it, though it may take me another forty years to do so."

(From Chapter 8: Jo Meets Apollyon)

母さんの本音を聞いて娘は育つ

昔はお金があったのに今は貧乏。父は従軍牧師として戦地へ行っているので、四人姉妹は母と暮らしている。おてんばでマイペースな次女はジョゼフィンという名前が嫌いで、男の子みたいにジョーと名乗っている。

母はしっかり者だ。娘たちが不満を言えば、ないものを欲しがるのではなく、すでに持っているもののことを考えて感謝しなさい、とお説教を聞かせる。お手伝いさんに休暇を与え、自分も同時に家を留守にして、仕事の分担がおろそかになると日々の暮らしが崩れてしまう、ということを娘たちに体験させたりもする。

今日はその母が、ジョーに本音を語っている。ジョーは、温厚だと思っていた母がじつは激しい性格で、しかもその性格を長年直そうとしてきたが、直りきらないのだと知ってびっくりしている。四十歳の母は十五歳の娘を子ども扱いせず、対等な人間同士として向き合っている。母の本音は娘の心に深く刻まれ、成長の糧《かて》となるに違いない。

本文は〈ジョー、奈落《アポリオン》の王に会う〉と題された章から採った。アポリオンは新約聖書の「ヨハネの黙示録」（9：11）に出てくる有翼の堕天使（＝悪魔）。四人姉妹の愛読書である『天路歴程』にも登場して、主人公クリスチャンが「天の都」へ向かおうとする旅を邪魔するのだが、クリスチャンは剣で反撃、見事撃退する。

本章でジョーが出会うアポリオンは彼女の内面にいる。意地悪なことをした妹エイミーへの腹いせのために、内なる悪魔に耳を貸したジョーは、エイミーを生命の危険にさらす失策を犯してしまうのだ。

『若草物語』の原題は『小さな婦人たち』（*Little Women*）。娘たちは自立した女性として成長してほしい、と願う父が手紙に書いたことばが、小説のタイトルになっている。家庭的な長女のメグ、作家になりたいジョー、内気でピアノがうまい三女ベス、おませで絵がうまい四女エイミーの四姉妹が、隣家の息子ローリーと親しく遊びながら成長していく、一年間の物語。各種の翻訳があり、漫画や映画にもなっていて、日本でも古くから親しまれてきた家庭小説である。

作中に登場する遊びをひとつだけ紹介しよう。皆でキャンプに行ったとき、ランチの後でやったゲームで、「ハチャメチャ話」（Rigmarole）という名前がついている。そのルールは、どんな話でもいいし、どんな長さでもいいので、まず誰かがお話をはじめて、面白くなる寸前のところでわざと止め、ふたりめがそこから話を引き継ぎ、また面白くなる寸前で止め、次のひとに引き継いでいく、というもの。ジョーたちが語り継ぐお話は本当にハチャメチャで面白かった。

Narrative Prose

ラフカディオ・ハーン「耳なし芳一の話」

そこで芳一《ほういち》は声を張り上げ、無情の海を舞台にした合戦の歌語りをした――達意の琵琶《びわ》を鳴らすと、その音色は船端できしる櫂《かい》や、ひゅーひゅー飛び交う矢や、男たちの叫び声や足音や、兜《かぶと》に刀がぶつかる響きや、海原に人影がどぶんと落ちる水音さながらになった。琵琶が奏でる音楽の合間に右からも左からも、芳一の耳に讃美のざわめきが聞こえた。「さても見事なる楽人かな！――われらが国ではいまだかつて、これほどの奏楽を聞いたことはござらぬ！」――「いやいや、帝《みかど》のしろしめす全土において、芳一と肩を並べるほどの歌い手はおらぬぞ！」かくして芳一は新しい勇気を得て、それまでよりもいっそう見事な琵琶と歌を聞かせた。彼の周囲で感嘆の静寂が深まった。だがついに彼の歌語りが、美しくも無力なひとびとの運命を――女たちと子どもたちの哀れな最期を――語る段にさしかかり、二位の尼が幼い帝を抱いて入水《じゅすい》するくだりを語ったとき、聴いていたひとびとは皆、長い長いひと続きの、おののくような苦悶の叫びをあげたのだった。（以下略）

"The Story of Mimi-Nashi-Hôïchi"
Lafcadio Hearn

Then Hôïchi lifted up his voice, and chanted the chant of the fight on the bitter sea, — wonderfully making his biwa to sound like the straining of oars and the rushing of ships, the whirr and the hissing of arrows, the shouting and trampling of men, the crashing of steel upon helmets, the plunging of slain in the flood. And to left and right of him, in the pauses of his playing, he could hear voices murmuring praise: "How marvelous an artist!" — "Never in our own province was playing heard like this!" — "Not in all the empire is there another singer like Hôïchi!" Then fresh courage came to him, and he played and sang yet better than before; and a hush of wonder deepened about him. But when at last he came to tell the fate of the fair and helpless, — the piteous perishing of the women and children, — and the death-leap of Nii-no-Ama, with the imperial infant in her arms, — then all the listeners uttered together one long, long shuddering cry of anguish; . . . .

声に出してよめばわかる

いわずと知れた盲目の琵琶法師、芳一の物語の一場面である。墓場に呼び出された芳一が、平家の公達《きんだち》の亡霊たちが居並ぶ前で、壇《だん》ノ浦《うら》における平家滅亡の段を語って聞かせるところ。「耳なし芳一の話」ばかりでなく、「むじな」「ろくろ首」「雪女」など、ラフカディオ・ハーン（＝小泉八雲《こいずみやくも》）が短編集『怪談』の中で語り直した怪奇物語は明治の日本文学として読まれているけれど、もともとは英語読者のために英語で書かれた文学作品である。

ハーンは妻の小泉セツに怪奇物語を日本語で語ってもらい、原話の内容ばかりなく、語りが匂わせる空気感まで聴き留めて、それらをまるごと大切にしながら、英語に移し替えた。「耳なし芳一の話」ではとりわけ、視力が弱かったハーンの鋭敏な聴覚が抱一の耳と合一しているかのように思われる。まず英語の文章を声に出して、読み上げてみていただきたい。

反復（chanted the chant; one long, long）、列挙（the straining; the rushing; the crashing; the plunging）、同音（とくにp音）の多用（in the pauses of his playing; in our own province was playing; the piteous perishing; yet better than before; the fate of the fair）などのせいで、思わず知

らず朗読に力がこもってしまうのではないだろうか？

ラフカディオ・ハーンの文章は散文だけれど、芳一の歌語りを模倣するかのような音楽性を持っているのだ。さらに、芳一が奏でる琵琶の音が合戦時のさまざまな具体音に聞こえたり、琵琶の音にまぎれて聴衆の誉め言葉が聞こえてきたり、悲惨な場面の歌語りを聞いた聴衆がいっせいに叫ぶ声が聞こえてくるところなどでは、読者の聴覚を刺激する英語表現がきわだっている。この一節を読んでいると、盲目の芳一が自分の体をとりまく世界を聴覚によって構築する現場に、ぼくたちも居合わせているかのようだ。

ハーンの英語を朗読したときの生動する感じを体で覚えておきたい。ことばの意味だけではなく、音のリズムや動きにも気を配ると、文章はぼくたちの心にぐっと深く染みこんでくる。

妻のセツが彼の聴覚と物語に没入する想像力について、次のように回想している。――「この『耳なし芳一』を書いています時のことでした。日が暮れてもランプをつけていません。私はふすまを開けないで次の間から、小さい声で、芳一芳一と呼んで見ました。「はい、私は盲目です、あなたはどなたでございますか」と内からいって、それで黙っているのでございます。いつも、こんな調子で、何か書いている時には、そのことばかりに夢中になっていました。（中略）それから書斎の竹藪で、夜、笹の葉ずれがサラサラといたしますと「あれ、平家が亡びて行きます」とか、風の音を聞いて「壇の浦の波の音です」と真面目に耳をすましていました」（小泉セツ「思い出の記」『全訳　小泉八雲作品集　第十二巻』恒文社、一九六七年、二三ページ）。

Narrative Prose

ジェイムズ・ジョイス『ユリシーズ』（第10挿話〈さまよう岩々〉より）

グラフトン通りでディグナム坊っちゃんの目に入ったのは、めかし込んだひとりの男が花を一輪くわえているところで、しゃれた靴を履いたそいつは、べらべらしゃべってる酔っぱらいの話に聴き入って、ずうっとにやにやしてた。

サンディマウント行きの路面電車は来ないみたい。

ディグナムの息子はナッソー通りに入って、ポークステーキ用の肉をもう一方の手に持ち替えた。襟《カラー》がまた跳ね上がったので、引っ張って下げた。うざい飾りボタンがシャツのボタンホールにたいして小さすぎるんで、うざくてもうムリ。彼はかばんを肩に掛けた生徒たちに出会った。ぼくは明日も学校を休んで、月曜まで休み。彼は他の生徒たちにも出会った。ぼくが喪服を着ているのに気づいたかな？　バーニーおじさんが、あれを今晩、新聞に載せるよう手配したと言ってた。ってことはみんなが新聞を読めば、ぼくと父さんの名前が載ってるから、なるほどってなるわけだ。

Ulysses
James Joyce

In Grafton street Master Dignam saw a red flower in a toff's mouth and a swell pair of kicks on him and he listening to what the drunk was telling him and grinning all the time.

No Sandymount tram.

Master Dignam walked along Nassau street, shifted the porksteaks to his other hand. His collar sprang up again and he tugged it down. The blooming stud was too small for the buttonhole of the shirt, blooming end to it. He met schoolboys with satchels. I'm not going tomorrow either, stay away till Monday. He met other schoolboys. Do they notice I'm in mourning? Uncle Barney said he'd get it into the paper tonight. Then they'll all see it in the paper and read my name printed and pa's name.

(From '10　Wandering Rocks')

ただ漏れになった胸の思いをことばがたどる

少年がお使いを頼まれて、ダブリン市南郊のサンディマウントから中心街へやってきている。肉屋で豚肉を買った後、路面電車で帰る前に町を歩いていると、学校帰りの生徒たちに出会う。彼が喪服姿で歩いているのは、父親のパディ・ディグナムが酒の飲み過ぎで死んだ直後だからだ。訃報《ふほう》を新聞に載せるよう、おじさんが手配してくれたのを少年は知っている。

この場面の最初のセンテンスを読んでいただくと、前半は少年の目が見たものが客観的に描かれ、「しゃれた靴」以降は少年の内面に浮かんだ気持ちが描かれている。以後、少年の行動を描く文章と彼の内面がつぶやく文章が混在して進んでいく（日本語訳では、少年の内面がつぶやく部分は声を変えてある。「うざい」と訳した'blooming'は俗語の'bloody'と同義）。胸中の思いをただ漏れさせるかのようにことばにしていくのが、いわゆる「意識の流れ」という手法である。この手法のおかげで、第一次世界大戦前後にはじまったモダニズムの時代に、小説における心理描写が革命的に変化した。

長編小説『ユリシーズ』には、アイルランドの都市ダブリンの一日——一九〇四年六月十六日――が封じ込められている。この日は、作者ジョイスが後に結婚するノーラ・バーナクルと初めてデートした日なのだという。小説の形で個人的な記念碑をこしらえるとは、しゃれたことをしたものだ。実在する通りや場所を舞台にして、たくさんの人物たちがゆきかうこの小説を、苦労しながら読み進むうちに、ダブリンの町を散歩しながら人物観察をしているみたいな気分になる。小説は、時間の中を線的に流れていく物語になるだけではなく、巨大な都市空間を内包した地図にもなれるらしい。

本書を構成する十八の挿話にはさまざまな文体や語り口が使われ、多彩な文学実験がおこなわれているが、今読んでいただいた場面は第十挿話からとった。〈さまよう岩々〉というニックネームが与えられたこの章には、長短合わせて十九の断章が並べられている。各断章はあたかもダブリン市内各所に据えつけられたビデオカメラのように、午後三時頃の街路を行き来するひとびとの動きを映し出し、しばしば彼らの胸の内に秘められた思いをも明るみに出す。ジグソーパズルのピースのような断章はたがいに呼応し合っていて、あるピースに描かれていた人物や心模様が、他のピースや他の章の内容につながっていることも多い。ちなみに引用の冒頭にちらりと出てくる「めかし込んだひとりの男」は、他の部分と読み合わせると、本作の主人公レオポルド・ブルームの妻がひそかに浮気をしている、ブレイゼス・ボイランだとわかる。

モダニズム以降の小説は語り方の実験場と化した。複数の語りを同時進行させたり、こんがらからせたり、人物の外面と内面の描写を混在・交差させたりすることにより、小説の構造が映画やボードゲームに似かよってくる。文学も進化するのだ。

〈I　ことばと沈黙〉の余白に

ホルヘ・ルイス・ボルヘス「アレフ」

10品のブンガクの試食をお楽しみいただけたでしょうか？

このコーナーでは日本語（訳）で読める番外編を提供いたします。

〈I　ことばと沈黙〉では、嘘つきの効用、ことばで記念碑をつくった話、朗読のすすめなどを紹介しましたが、ここでは、ことばでつくりだせる究極の奇観かもしれない、ひとつの球体をご覧に入れます。

アルゼンチンの作家ホルヘ・ルイス・ボルヘス（1899 ～ 1986）の「アレフ」という短編小説。小説の語り手は作者と同名の中年男なのですが、その彼が、凡庸な詩人の家を訪ね、その詩人が懸案の作を完成させるために不可欠な存在なのだと語る〈アレフ〉を見せてもらいます。

ボルヘスは詩人から教わったとおり、地下へ向かう階段の19段目にそれを見つけます——「〈アレフ〉の直径は二、三センチと思われたが、宇宙空間が少しも大きさを減じることなくそこに在った。すべての物（たとえば、鏡面）が無際限の物であった。なぜならば、私はその物を宇宙のすべての地点から、鮮明に見ていたからだ。私は、波のたち騒ぐ海を見た。朝明けと夕暮れを見た。アメリカ大陸の大群衆を見た。黒いピラミッドの中心の銀色に光る蜘蛛の巣を見た。崩れた迷宮（これはロンドンであった）も見た。鏡を覗くように、間近から私の様子を窺っている無数の眼を見た。一つとして私を映すものはなかったが、地球上のあらゆる鏡を見た」（鼓直訳『アレフ』岩波文庫、2017年、214 ～ 215ページ）。

ボルヘス自身が作中で語っているように、言語は時間の流れの中で意味作用を形成するものなので、すべてが同時的に生起している「アレフ」の状態を十全に記述することはできません。でも読者は、グーグルアースの無数の局面が一挙に雪崩を打って、目玉の中へ飛びこんでくるかのような映像を、思い浮かべることができます。不十分なことばは想像力の助けを借りて、ぼくたちの心に「アレフ」を現出させるのです。

II

謎と不安

Drama

ソポクレス『オイディプス王』

（第一エペイソディオン〔会話の部分〕より）

それではお聞きになるがよい。あなたがかくも長々と
脅しと理由を縷々《るる》述べて、捕まえようとしている男、
ライオスを殺害した卑劣漢、その男はここにいる。
その男はこの土地ではよそ者で通っているが、
ここで生まれた、テーバイの人間だとじきにわかる。
だが彼の運命は、本人にはほとんど喜びをもたらさぬ。
その男は盲目となり、紫の衣の代わりに
物乞いの服を着て、杖にすがりながら
見知らぬ国へ、じきに手探りで行くことになる。
その男について明らかになるだろうことがある――同居する
子どもたちにたいしては兄弟であり、父でもあり、
その男を生んだ女にたいしては息子であり、夫でもあり、
父親とは同じ女をわけあい、その刺客にもなったのが彼だ。
奥へ行き、これらのことをよく考えてごらんなさい。そして、
今申したことが的を射ておらぬ証拠を見つけられるならば
断言なさるがよい、このわたしには予言の才も技もない、と。

Oedipus the King

Sophocles (Translated by Francis Storr)

Hear then: this man whom thou hast sought to arrest
With threats and warrants this long while, the wretch
Who murdered Laïus — that man is here.
He passes for an alien in the land
But soon shall prove a Theban, native born.
And yet his fortune brings him little joy;
For blind of seeing, clad in beggar's weeds,
For purple robes, and leaning on his staff,
To a strange land he soon shall grope his way.
And of the children, inmates of his home,
He shall be proved the brother and the sire,
Of her who bare him son and husband both,
Co-partner and assassin of his sire.
Go in and ponder this, and if thou find
That I have missed the mark, henceforth declare
I have no wit nor skill in prophecy.

(From the first epeisodion)

運命がもたらす身の破滅

ギリシア悲劇の最高傑作といわれる『オイディプス王』は主人公の性格ではなく、彼が背負った運命がもたらす身の破滅を描いている。

主人公の性格的な欠点が災いする結末へ突き進む筋書きなら、観客は自業自得のすり鉢地獄へ落ちていく主人公に寄り添っていくことになる。ところが、運命が主人公をさいなむ悲劇の場合、主人公の意志とは無関係に人生が展開していくので、観客が乗れるレールは存在しない。運命に翻弄される主人公に感情移入しながら、観客はその悲劇を自分にも起こりうる物語として受け止め、目が離せなくなるのだ。

オイディプスはテーバイの王子として生まれたが、父親を殺し、母親との間に子どもをつくるという神託が出たので、父王の命令で殺されそうになった。だが幸いにも生き延びて、隣国の王夫妻に育てられる。「オイディプス」は「腫れた足」という意味で、生後まもなく山へ捨てられたとき、両足のくるぶしがピンで刺し貫かれていたことからつけられた名前である。

隣国の王子として育てられた彼は優秀な若者に成長し、〈父親を殺す〉という運命を〈養父を殺す〉ことだと解釈し、その運命から逃れるために隣国を離れる。彼は旅の途上、路上で実の父と出会い、相手が父親だと気づかぬままに殺害。怪物スフィンクスと出会ったときには怪物が投げかける謎を見事に解いてみせる。オイディプスは若き英雄としてテーバイへ乗り込み、故郷とはつゆ知らぬこの国で未亡人となったわが母親と結ばれて王になり、母とのあいだに子どもたちをもうける。心ならずも神託を実現してしまうのだ！

引用したのは、盲目の預言者テイレシアスが、テーバイ王となったオイディプスに向かい、彼の未来を語るセリフ。芝居の冒頭に近い、会話で構成されたパート〈エペイソディオン〉（このギリシア語は「エピソード」〔挿話〕の語源、余談ながら）から採った。

真実を知るテイレシアスは最初、予言を語りたがらなかったのだが、オイディプス王にさんざん侮辱されたために、ついに真実を語らざるを得なくなる。この後、オイディプス王は自らの出自について調査し、信頼に足る証言を得て、知らずに犯した罪のあれこれを知ることになる。そして自らがテーバイにもたらした汚辱を浄めるために、ピンで両目を突き、自分自身を故郷から追放する。

家庭内の悲劇が磨かれて普遍性を獲得したオイディプスの神話は、後世に絶大な影響を与えた。フロイト派の精神分析において、成長段階の子どもが父母とのあいだで無意識的に葛藤するプロセスを「エディプスコンプレックス」と呼ぶのはその一例である。

英訳者のフランシス・ストー（一八三九～一九一九）はイギリスの古典学者である。

Narrative Poem

太安万侶《おおのやすまろ》編『古事記』（上巻より）

すると、〈すばやくて意気盛んな威厳ある男神〉はただちにその若い娘をつかみ、歯の目がたいそう細かい櫛《くし》に変えて、自分の堂々たる頭髪の房に挿《さ》し、〈足をさする老人〉と〈手をさする老女〉の二神に向かって言った――「酒を醸《かも》し、念入りに八回濁りを取り除くがいい。そしてこの周囲に柵を巡らし、八箇所の門を設け、各々の門に台を括りつけ、その八つの台の上に大桶を置き、八回濁りを取り除いた酒を注いで、待つがいい」。彼が命じたとおりにすべてを準備して、一同が待っていると、［老人が］言ったとおり、八つに分かれた蛇が本当にやって来て、それぞれの頭を大樽に突っ込んで、酒を飲んだ。そうして蛇は酒に酔い、すべて「の頭」を横たえて眠りに落ちた。〈すばやくて意気盛んな威厳ある男神〉はすかさず、威風堂々と腰に着けていた十握りの剣を抜き、蛇を切って、切り刻んだ。すると〈ヒの川〉は血の川に変化して流れ続けた。

"Kojiki", or Records of Ancient Matters
Ō no Yasumaro, ed. (Translated by Basil Hall Chemberlain)

So His-Swift-Impetuous-Male-Augustness, at once taking and changing the young girl into a multitudinous and close-toothed comb which he stuck into his august hair-bunch, said to the Deities Foot-Stroking-Elder and Hand-Stroking-Elder: "Do you distil some eight-fold refined liquor. Also make a fence round about, in that fence make eight gates, at each gate tie [together] eight platforms, on each platform put a liquor-vat, and into each vat pour the eight-fold refined liquor, and wait." So as they waited after having thus prepared everything in accordance with his bidding, the eight-forked serpent came truly as [the old man] had said, and immediately dipped a head into each vat, and drank the liquor. Thereupon it was intoxicated with drinking, and all [the heads] lay down and slept. Then His-Swift-Impetuous-Male-Augustness drew the ten-grasp sabre, that was augustly girded on him, and cut the serpent in pieces, so that the River Hi flowed on changed into a river of blood.

(From Volume I)

名が体をあらわす者たちのドラマ

神話はしばしば人間の感情の根幹に揺さぶりをかけ、ひととしてどうふるまうべきかを教え、共同体の一員として知っておくべき知識を与える。口伝えで語られた神話の物語は、要点は正しく伝承されつつ、細部の言い回しは聞き手に届きやすいよう徐々に更新されていっただろう。ところが、口伝えの内容を保存するために書きとめた時点を境に、固定化された神話のテクストは古くなりはじめる。皮肉にも時代を経るうちに、その原典を読むこと自体がむずかしくなっていくのだ。それゆえ、古語の専門家でないぼくたちは、さまざまに翻訳されたバージョンで神話を読むしかない。とはいえ、工夫を凝らした翻訳からは原典の残り香を伝える何かが立ちのぼるようで、たいそう驚かされる。

ここに引用した『古事記』の英訳は、明治時代にお雇い外国人として来日し、東京帝国大学の外国人教師となったバジル・ホール・チェンバレン（一八五〇〜一九三五、V「漁師少年浦島」参照）によるものである。英題には「または、大昔の事柄の記録集」という補足がつけ加えられている。

天上界から地上界へ追放された神スサノオは、出雲《いずも》国の肥の川（現在の斐伊川《ひいかわ》）の上流に降り立つ。彼はそこで、アシナズチとテナズチという老いた夫婦神に出会い、ふたりの娘のクシナダヒメが、毎年当地を襲ってくるヤマタノオロチのいけにえになる運命を悲しんでいるのを知る。

スサノオはクシナダヒメを櫛に変身させて自らの髪に挿し、老夫婦に命じて酒を造らせ、ヤマタノオロチを酔わせて倒す作戦を企てる。作戦はまんまと成功し、この引用に続く部分で、スサノオはオロチの体内から鋭い剣〈クサナギノタチ〉を得て、アマテラスに献上する。

チェンバレンの英訳は登場人物たちの名前に込められた意味を生かすように心がけ、スサノオの名前が体現する敏捷な行動力もよく英語に移されており、物語の最後が地名の説明になっているところも原文に忠実である。人名や地名に意味を込めるのはさまざまな文化における神話・伝説に共通する特徴なので、『古事記』の英訳を日本語に訳し戻すことで、この物語に内在する古朴《こぼく》な普遍性にあらためて気づかされる。

少しだけ補注をくわえると、〈足をさする老人〉と〈手をさする老女〉の「さする」は愛する娘クシナダヒメの手足を「さする」ということ。「十握り」は約一メートルで、「一握り」は握り拳の横の長さ（約十センチメートル）を目安にした古代の長さの単位。〈ヒの川〉（斐伊川）の上流では砂鉄が採れたため、赤い水が下流へ流れ、そのせいで「火の川」と名づけられたのが、「肥の川」に変化したのだという。

Narrative Prose

ダニエル・デフォー『ペストが流行した年の日誌』

ここでさらに指摘しなければならないのは、この都市で暮らす人々自身の怠惰な無頓着が最も致命的であったということだ。災厄の到来が前々から予告ないしは警告されていたにもかかわらず、かれらは食料や必需品を備蓄するなどの準備を全然しなかった。備えさえあれば、自宅に引きこもって巣ごもり生活ができたのである。すでに述べたように備えをちゃんとしていた人々もおり、その人々は持ち前の慎重さのおかげで、大多数が死なずに済んだ。都市の住民は最初のうちこそ用心を怠らなかったが、状況に少し慣れてくると互いの接触に疑いを持たなくなった。実際は感染していて、そのことを知っている場合もあったというのに。

わたしは、自分自身がそのような軽率な住民のひとりであったことを認める。準備をしなかったせいで、当家の使用人たちは一ペニーや半ペニーで買えるささいなものを手に入れるために、外出せざるを得なかった。わたしはペストの到来以前から経験によって、自分自身の愚かさに気づいてはいたものの、賢くなろうと努めるのが遅きに失したため、一か月分の生活必需品一式を自分のために貯える時間がほとんどなかったのだ。

A Journal of the Plague Year
Daniel Defoe

I must here take further notice that nothing was more fatal to the inhabitants of this city than the supine negligence of the people themselves, who, during the long notice or warning they had of the visitation, made no provision for it by laying in store of provisions, or of other necessaries, by which they might have lived retired and within their own houses, as I have observed others did, and who were in a great measure preserved by that caution; nor were they, after they were a little hardened to it, so shy of conversing with one another, when actually infected, as they were at first: no, though they knew it.

I acknowledge I was one of those thoughtless ones that had made so little provision that my servants were obliged to go out of doors to buy every trifle by penny and halfpenny, just as before it began, even till my experience showing me the folly, I began to be wiser so late that I had scarce time to store myself sufficient for our common subsistence for a month.

泥棒を捕らえてから縄をなう

これは一六六五年、ロンドンでペストのパンデミックが発生したときの状況を描いた作品の一節。古風な文章で難解なのに、新型コロナウイルスによる感染症が蔓延《まんえん》する只中で、困惑した現代人がつぶやいているかのように読めてしまう。その理由は、見知らぬ敵と向き合いきれない人間心理の甘さが描かれているからだ。昔も今も、緊急事態への対応は泥縄的になりがちであるらしい。

小説『ロビンソン・クルーソー』で知られるダニエル・デフォーは、一六六五年には五歳だった。彼はペストがヨーロッパ大陸で再び大流行し、イングランドへも脅威が伝えられた（が結局到来しなかった）一七二二年にこの本を書いた。馬具商を営んでいたおじをモデルにした語り手の視点から、ペスト禍に見舞われたロンドンの姿が巨視的に、かつ微視的に描写されている。本作は、事実に基づいた資料をふんだんに用いた「小説というより事実の記録、あるいはルポルタージュに近い」（武田将明「訳者解題」『ペストの記憶』研究社、二〇一七年、三五〇ページ）作品である。

冒頭部分では感染者数はごくわずかだが、その数が増大していくにつれて、宗教界は混乱し、市民たちは怪しげな占い師や治療師に飛びつきはじめる。医師たちは命がけで奮闘し、感染者が出た家々は閉鎖され、教会墓地に巨大な穴が掘られて死者が埋葬される。引用した一節では、語り手がロンドン市民のひとりとして、備えが甘かったのを反省している。この直後、感染拡大がおさまらず、市場での買い物が命がけの行為になってしまったことが語られる。

本作には、感染者数の推移や感染が広がった経路がていねいに解説されるとともに、人心の変化も描写される。同情心が失われ、殺伐としていく大都市で、ひとびとが自己責任で自分を守るしかない窮地へ追い込まれていく経緯などを読むと身につまされる。

また、三人の職人が連れだって市内から北へ逃げていく道中に密着した、中編小説さながらのパートもある。同行者の人数はみるみる増え、彼らは自分たちの手業を生かして即席の避難所をこしらえる。やがて、四十日以上森の中で自己隔離をし終えた一行は、当地の治安判事から健康証明書（現代ならワクチン接種証明書に相当するだろうか）を発行してもらい、ロンドンへ無事帰還する。コロナ禍の記憶とともに本書を読めば、三百五十年あまり前に疫病を生き延びたひとびとの勇気と判断力に誰しも胸を打たれるだろう。

なお日本語訳中の「巣ごもり生活」という表現は、コロナ禍をデフォーの文学世界につなぐことを意図して故意に選んだ。翻訳作品を訳文の言語に擬態させようと試みた小細工である。

ヨハン・ヴォルフガング・フォン・ゲーテ『ファウスト』（悲劇　第一部〈Ⅳ．書斎（契約）〉より）

Drama

ファウスト
だからわたしがもし、飛びゆく一刹那《せつな》に向かって「おお、止まれ――
おまえはとても美しい！」と呼びかけるときがきたら、
おまえはわたしを、おまえの永遠なる束縛につなぎ、
わたしの究極の破滅を宣言してよろしい！
そうして、死を告げる合図の鐘を鳴らさせるがよい！
そのときおまえは、わたしへの奉仕から解放される！
大時計は止まり、時計の針は折れ、
そのときまさに、私の時間は終わりを告げる！

メフィストフェレス
よく考えてくださいよ。こちとら、一度聞いたら忘れないんだから。

ファウスト
このことに関しては太鼓判を押すから、心配には及ばぬよ。
自分の能力に関して軽率な判断はしたことがないわたしだ。
間違いなく奴隷になってやるとも――おまえのであろうと、
誰のであろうと。そのことについて議論する必要はない。

Faust

Johann Wolfgang von Goethe **(Translated by Bayard Taylor)**

FAUST

When thus I hail the Moment flying:
"Ah, still delay — thou art so fair!"
Then bind me in thy bonds undying,
My final ruin then declare!
Then let the death-bell chime the token.
Then art thou from thy service free!
The clock may stop, the hand be broken,
Then Time be finished unto me!

MEPHISTOPHELES

Consider well: my memory good is rated.

FAUST

Thou hast a perfect right thereto.
My powers I have not rashly estimated:
A slave am I, whate'er I do —
If thine, or whose? 'tis needless to debate it.
(From The First Part of the Tragedy: 'IV. The Study [The Compact]')

人生最高の瞬間が体験できれば、死後の魂などいらない

『ファウスト』は二部構成の長大な悲劇で、上演よりも読むことを想定して書かれた作品。引用したのは第一部から。

諸学を究めたファウストは古来稀な博士号を授与されるほどの学者だが、自分が昔と較べて全然利口になっていないのを自覚しており、人生も楽しくないので、毒をあおって自殺しようとまで思い詰めていた。そこへ、黒いむく犬に化けた悪魔メフィストフェレスがやってくる。彼はキリスト教の神と天上で賭けをして、向上心の塊のようなファウストを悪の道に引きずり込むために、地上へ降りてきたのだ。

合理性を重んじる科学者であるファウスト博士には信心がなく、死後の魂の行き先になど興味はない。それゆえ彼は、現世においてメフィストフェレスが従者として仕え、彼の願いをかなえ、彼自身が人生最高の瞬間を体験し、その瞬間に向かって「止まれ」と呼びかけることができるならば、死後の魂など悪魔にくれてやる、と宣言するのである。

ファウストは若返りの薬をもらって心機一転、実人生へと乗りだしていく。ところがよりに

よって信心深い娘グレートヒェンに一目惚れしたあげく、彼女を不幸のどん底に陥れてしまう。そこまでが第一部。第二部では、ファウストは悪魔とともに壮大な幻想世界へ旅立っていく。彼は皇帝から領地をもらい、さらに土地を開拓するための土木工事をおこなう。そのような活動の中で彼は、わがことしか考えてこなかった生き方を変え、他者の役に立っている自分を見出して人生の満足に至る。

第二部の終わり近くで、開拓工事の鋤《すき》の音を耳にしたファウストは、「おお、止まれ」と叫ぶのだが、じつはその音はメフィストフェレスがファウストの墓穴を掘っている音だった。ファウストは皮肉な勘違いをしていたのである。人生最高の瞬間が勘違いとは何たる皮肉だろう！　彼の魂の運命やいかに、と読者ははらはらさせられるが、すでに天上にいるグレートヒェンが助けてくれる……。

英訳者はアメリカ人作家ベイアード・テイラー（一八二五〜七八）。カリフォルニアのゴールドラッシュをルポして名を上げ、外交官としても活躍した人物で、『ファウスト』の英訳は今日に至るまで読まれ続けている。

Narrative Poem

作者不明「その血はなんだい？」（部分）

「野ウサギの血ならそんなに赤くないはずだろう
息子よ、事情を話しておくれ」
「じつは少年をひとり殺した、今日、少年をやっちまった、
しかも、とてもむごいやり方で」

「おまえとその少年とやらの、あいだに何があったんだい？
息子よ、事情を話しておくれ」
「ちょっとした枝を一本折っただけだよ、
木には育ちそうもない枝を」

「父さんが帰ってきたら、いったいどうするつもりだい？
息子よ、わたしに話しておくれ」
「船に乗ってさよならするよ、帆を上げて
見知らぬ国へ向かうつもりだ」

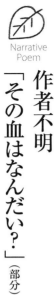

"What Put the Blood"
Anon.

"The blood of the hare now it could never be so red,
Son, come tell it to me."
"It was the killing of a boy, that I killed today,
That I killed most brutally."

"What came between yourself and the boy?
Son, come tell it to me."
"It was mostly about the cutting of a rod,
That will never grow into a tree."

"What will you do when your father comes home?
Son, come tell it to me."
"I will put my foot on board of a ship,
And sail for a foreign country."

(Three Stanzas from the ballad)

心の闇を歌い継ぐ

これはイングランドをはじめとする英語圏で伝承されてきた、「バラッド」と呼ばれる物語歌の一節。バラッド律（二行目と四行目が脚韻を踏む四行連）で延々と歌われるのだが、この三連は冒頭に近い部分から採った。ここから先、妻子や馬や家屋敷をどうするつもりかといちいち問い詰める母に向かって、息子はそっけない答えを返していく。

数百年前から歌い継がれてきたこのバラッドの歌詞にはさまざまなバージョンがあり、歌唱の録音も新旧多数存在する。それらを読み比べ、聞き比べてみると、〈母の発案によって息子が父を殺した〉という物語の輪郭が見えてくる。息子が殺したのは「少年」ではなくて、実は「父」なのだ。母は自分が張本人であるにもかかわらず、父を殺して帰宅した息子に向かって、しらばっくれたような質問を続けるのである。

とはいえ、どのバージョンを読んでも、「父」がなぜ殺されなければならなかったのかは判然としない。取り返しがつかないことをしでかした直後のあせりと不安が母と息子に共有され、それがどんどん増幅していくところにこのバラッドの聞かせどころがある。いくら耳を澄ませてもわからないところが残り、謎が深まる歌はさまざまな立場から感情移入がしやすいので、繰り返し歌われ、聞かれることも多くなるのだろう。

実際、多くの伝承バラッドにおいて、歌詞が事実関係のすべてを語り尽くすことはない。口承の過程で欠落や歪曲が生じることはよくあるし、はじめからキモの部分が隠されている場合もあるだろう。そのせいか、バラッドがパブなどで歌唱される前には、歌い手が歌の背景を補足説明することが多い。

伝承歌であるバラッドの歌詞には決定版がなく、聞き覚えによって歌われ、部分的に改変されながら次代の歌唱者に伝承される。歌詞が生き物のように変化し、多様なバージョンに分化することによって、語りことばの生命力が維持・更新されていくのだ。なお、引用した英語バージョンは二十世紀後半に録音されたいくつかの歌詞を突き合わせて、ぼく自身が構成した。

バラッドの歌詞を収集し、活字化した書物としては、ハーバード大学の文献学者フランシス・ジェームズ・チャイルド（一八二五〜九六）が編纂した『イングランドとスコットランドのバラッド』が金字塔である。この本におさめられたこの歌の一バージョンでは、息子に「エドワード」という名前がついており、母が息子に向かって何度も「エドワード」と語りかけるので、歌に奇妙なリアリティーが加わっている。

Narrative Prose

ナサニエル・ホーソーン「ウェイクフィールド」

その夫婦はロンドンに住んでいた。夫は旅に出るふりをして、自分の家の隣の通りに間借りして、そこで妻にも友人にも気取《けど》られぬまま、そんなふうに自分自身を追放する理由など何もないのに、二十年以上暮らした。その期間、男は自分の家を毎日見ていたし、かわいそうなミセス・ウェイクフィールドの姿もひんぱんに見かけた。そして、幸福な結婚生活にこれほど大きな穴を開けた後――彼の死が確定したと判断され、遺産は譲渡され、彼の名前は忘れ去られ、人生の秋を迎えた妻は未亡人暮らしに慣れた頃になって――ある日の夕方、一日の外出から帰ったかのように、彼は静かに帰宅して、それ以後は死ぬまで誠実な夫となった。

　私が記憶しているのは以上のあらましだけである。だが、このできごとはじつに奇抜で、前例がなく、おそらくは繰り返されることもないとはいえ、人間一般が抱く哀れみの情に訴えるように思う。私たちはそれぞれ皆、自分自身がこんな愚行を犯しはしないとわかってはいるものの、誰か他の者が犯さぬとは限らないと感じているのだ。

"Wakefield"
Nathaniel Hawthorne

The wedded couple lived in London. The man, under pretence of going a journey, took lodgings in the next street to his own house, and there, unheard of by his wife or friends, and without the shadow of a reason for such self-banishment, dwelt upwards of twenty years. During that period, he beheld his home every day, and frequently the forlorn Mrs. Wakefield. And after so great a gap in his matrimonial felicity — when his death was reckoned certain, his estate settled, his name dismissed from memory, and his wife, long, long ago, resigned to her autumnal widowhood — he entered the door one evening, quietly, as from a day's absence, and became a loving spouse till death.

This outline is all that I remember. But the incident, though of the purest originality, unexampled, and probably never to be repeated, is one, I think, which appeals to the general sympathies of mankind. We know, each for himself, that none of us would perpetrate such a folly, yet feel as if some other might.

ちっぽけなつむじ曲がりがもたらす結果

この短編小説の語り手が知っていたのは、古い新聞か雑誌で読んだある男の奇行のあらましだけである。男にウェイクフィールドという仮名をつけ、あらましを想像力で肉づけしながら、物語が立ち上がっていく。引用したのは、冒頭に近い一節である。

ウェイクフィールドは平凡な中年男だが、しばらく家を留守にして、妻がどんなふうに戸惑うか見てみようという出来心を起こして、自宅の隣の通りに部屋を借りる。ところが翌日、自宅の様子を見に行ってみようとして、うっかり玄関まで近寄ってしまい、家人に気づかれてはいかんと気づき、隠れ家へ逃げ帰るところで、心にへんなスイッチが入ってしまう。赤毛のかつらをつけ、古着屋で今まで着慣れたのとは違うタイプの服一式を揃えたあたりで、彼は「別人」になる。

そのあとの二十年間をたとえるなら、ベランダに置いた多肉植物の鉢への水やりや手入れをわざと怠り、しだいに萎《しお》れていくのを傍観し続けるようなものだ。十年ほど経った後、ウェイクフィールドは妻と街中の舗道でばったり出会う。夫の生存を期待することをやめて久しい妻は、目の前の夫に気づかない。奇妙でみじめな実験を続けているうちに面変わりした夫は妻に気づくものの、名乗らぬままに終わる。小説の結末部分で、二十年後のウェイクフィールドは妻が暮らす家へ戻っていく。だがその後、彼は、「死ぬまで誠実な夫」になれるのだろうか？

ホーソーンは読者を置き去りにせず、ちっぽけなつむじ曲がりが放置された結果をほのめかしてくれる。語り手は物語のしめくくりに、「宇宙の追放者」という名文句をつぶやくのだ。読者はそのことばを手がかりにして、本作の読了後、帰宅したウェイクフィールドのその後について思案しはじめる。

だがもし、ウェイクフィールドが最後まで帰宅しなかったらどうだっただろう？　J・L・ボルヘスは「この物語を仮りにカフカ（引用者注：Ⅳ「断食芸人」参照）が書いていたとすれば、ウェイクフィールドは決して家には戻らなかったでしょう」（中村健二訳『続審問』岩波文庫、二〇〇九年、一〇六ページ）と書いている。ぼくたちが今生きる世の中を見渡せば、もしかしてこちらの結末も同じくらいあり得るのではないか？　帰るに帰れなくなったへそ曲がりと、待つ役割をあてがわれたことに倦《あ》き果てたひとの人生は未来永劫交わらない。GPS地図上に無名のまま表示された、二つの点さながらに没交渉のまま、ふたりの人生が「萎れ」はてていくのが、天上の視点からつぶさに見えるかのようだ。

Narrative Prose

ハーマン・メルヴィル「バートルビー」

　その姿勢で腰掛けたまま彼に声を掛けて、してもらいたいことを早口で指示した——ちょっとした書類を私と一緒に照合するように、と。私の驚き、というか、私の驚愕を想像していただきたいのだが、バートルビーは彼の隠れ場所から少しも動かずに、きわめて穏やかにして決然たる声で、「わたくしはせずにおきたいのです」と答えたのだ。

　私は少しの間、完璧に黙り込んで、仰天したわが精神機能を立て直した。とっさに、私が聞き違えたか、バートルビーが私の意図を誤解したに違いないと思った。私はできるかぎり明瞭な口調で指示を繰り返した。すると、相手もたった今と同じ明瞭な調子で、「わたくしはせずにおきたいのです」と答えた。

「せずにおきたい」私はそうオウム返しにして、たいそう興奮して立ち上がり、ひとまたぎで部屋を横切った。「どういう意味だ？　気でも狂ったのかね？　ここにある書類を照合するのを手伝ってほしいのだよ——受け取りたまえ」私は彼に書類を突き出した。

「わたくしはせずにおきたいのです」と彼は言った。

"Bartleby"
Herman Melville

In this very attitude did I sit when I called to him, rapidly stating what it was I wanted him to do — namely, to examine a small paper with me. Imagine my surprise, nay, my consternation, when, without moving from his privacy, Bartleby, in a singularly mild, firm voice, replied, "I would prefer not to."

I sat awhile in perfect silence, rallying my stunned faculties. Immediately it occurred to me that my ears had deceived me, or Bartleby had entirely misunderstood my meaning. I repeated my request in the clearest tone I could assume: but in quite as clear a one came the previous reply, "I would prefer not to."

"Prefer not to," echoed I, rising in high excitement, and crossing the room with a stride. "What do you mean? Are you moon-struck? I want you to help me compare this sheet here — take it," and I thrust it towards him.

"I would prefer not to," said he.

人間とは解き得ない謎か？

十九世紀半ば、アメリカ合衆国ニューヨーク市のウォール街はすでにビジネスの中心地になっていた。引用の語り手は、この街のビルの二階に事務所を構える弁護士だが、「楽な生き方が一番」というのが持論で、「めったにかっとなることはない」男である。その彼が珍しく冷静さを失った場面が語られている。いったいどうしたのだろう？

語り手の弁護士事務所にはそもそもふたりの文書複写係が雇われていた。ターキー（七面鳥）とニッパーズ（針金切り）というあだ名で呼ばれるこのふたりは、仕事ぶりにむらがある。ターキーは年配のイングランド人で、午前中は堅実に働くのだが、午後は仕事の能率が落ちて不注意になり、しばしばかんしゃくを起こす。他方、ニッパーズは「海賊めいた風貌の若者」で、午前中いらいらが目立つのだが、午後は穏やかに仕事をこなす。

三人目の複写係としてバートルビーが雇われる。物静かで礼儀正しい彼はしばらくの間、抜群の筆写能力を発揮する。ところがある日突然、引用にあるような事件が起きるのだ。これを境にバートルビーは、「せずにおきたいのです」を連発するようになり、やがて文書の筆写をやめてしまう。そして、放棄のわけを尋ねる語り手に、「あなたにはその理由がわからないのですか?」と冷淡に問い返す。人間存在の根源に揺さぶりを掛けるような問いだが、「楽な生き方が一番」をモットーとし、目の前の仕事をこなすことだけで生きてきた語り手には、この不気味な問いに向き合う心の準備がない。

短編小説である本作は、序盤はコメディのようにも読めるけれど、バートルビーが事務所からの退去を拒むあたりからホラーへと変容し、読者を呆然とさせたまま締めくくられる。バートルビーの孤独で不条理な生涯を見届けた語り手は最後に、「ああ、バートルビー! ああ、人間!」と慨嘆する。

なるほど、人間存在そのものが大きな謎なのかもしれない。バートルビーのような人物なら身近にいる、と言うひとがいても不思議はないし、彼のふるまいに病名をあてがう専門家もいるだろう。バートルビーは時代や場所を超越して、すぐそこの机に向かって息をひそめている。歴代の読者がじつにさまざまな解釈をほどこしてきたこの短編は、読者を映す鏡のようだ。

Drama

ジョン・ミリントン・シングの『海へ騎りゆく者たち』

モーリヤ　［暖炉に顔を向け、ショールを頭から被って］頑固で冷たいにもほどがある。海へ行くんじゃないよって、年寄りがこんなに引き留めてるのに、耳を貸さないんだからね。

キャスリーン　海へ行くのが若い男の人生なのよ。おんなじことをなんべんも繰り返す、年寄りの話なんて誰が聞くもんですか。

バートリー　［端綱《はづな》を取って］そろそろ行かないと。赤毛の牝馬《めすうま》に乗っていくよ。葦毛《あしげ》のポニーを後ろに引っ張っていく……みんなに神様のお恵みがありますように。［出ていく］

モーリヤ　［扉口にさしかかったバートリーに向かって叫ぶ］ああ、行っちまった。神様、どうかお手柔らかに。わたしらがあの子を見ることは二度とありません。息子は行ってしまいました。真っ黒な夜のとばりが落ちるときには、わが息子はこの世におりません。

キャスリーン　どうしてあの子を祝福してあげないの？　扉のところで振り返ってるのに。この家のみんなに降りかかってる悲しみだけじゃ足りないっていうの？　母さんったら、あの子の背中に縁起でもないことばを投げつけて、あの子の耳につらいことばを聞かせるなんて。

Riders to the Sea
John Millington Synge

MAURYA [*turning round to the fire, and putting her shawl over her head*] Isn't it a hard and cruel man won't hear a word from an old woman, and she holding him from the sea?

CATHLEEN It's the life of a young man to be going on the sea, and who would listen to an old woman with one thing and she saying it over?

BARTLEY [*taking the halter*] I must go now quickly. I'll ride down on the red mare, and the grey pony'll run behind me. . . . The blessing of God on you. [*He goes out*]

MAURYA [*crying out as he is in the door way*] He's gone now, God spare us, and we'll not see him again. He's gone now, and when the black night is falling I'll have no son left me in the world.

CATHLEEN Why wouldn't you give him your blessing and he looking round in the door? Isn't it sorrow enough is on every one in this house without your sending him out with an unlucky word behind him, and a hard word in his ear?

後悔先に立たず

家族を玄関から送り出すときには、ちゃんと「行ってらっしゃい！」を言わなくてはいけない。家族とケンカしたまま外出した日には、送り出すほうにも送り出されるほうにも苦い後悔が残る。ましてや、幸先が悪い捨てぜりふを投げたとすれば、心がじくじく膿《う》んでしまうことだってあるだろう。

よい芝居は観客の中に眠っているその種の身体感覚を刺激する。舞台はヨーロッパ北西部、アイルランド西岸沖に浮かぶアラン諸島である。西の海は茫漠たる大西洋だ。家族の男手を海の事故で次々に失った老母が、本土で開かれる馬市《うまいち》へポニーを売りに行く末息子のバートリーを心配するあまり、ついつい憎まれ口を聴いた末に祝福のことばを与えぬまま、息子を送り出してしまう。娘にとがめられても後の祭りだ。

『海へ騎《の》りゆく者たち』はシンプルな一幕物の短い芝居である。観客は、「真っ黒な夜のとばりが落ちるときには、わが息子はこの世におりません」という老母の予言が不運にも的中するのを見届ける。若くて頼もしいバートリーは、馬体は小さいが気性の荒いポニーに、崖から蹴落とされて死ぬのである。

この芝居にはギリシア悲劇に通じる普遍性があると言われる。その理由は、家族の悲劇が簡潔に描かれることによって、小さなドラマが無限大になるという逆説が実現しているからではないだろうか？　誰しも身に覚えのある、幸先が悪いことばが発せられたときの生理的な不安感と、そのことばが現実を生んでしまったときの底知れぬ喪失感が、時代や文化の差異を超えて観客の魂に作用するのだ。舞台上で演じられるローカルな家族のドラマが、人間が根源的に共有する経験の根元にじかに突き刺さる奇跡が生まれている。

作者シングはアイルランドの首都、ダブリンの良家のお坊ちゃんとして生まれたが、歴史的・言語的にイングランドの影響が強いダブリンに背を向け、アイルランド固有の文化・言語が残るアラン諸島へ向かった。植民者が話す英語ではなく、土地に根ざしたゲール語（アイルランド語）を話すひとびとが暮らす島で物語や歌を聞き書きするうちに、土着性が普遍へと突き抜ける題材に出会ったのだ。シングはその題材を自らの日常語である英語で表現し、アイルランド英語特有の語法や語彙《ごい》を生かしつつ、ダブリンの観客に向けて戯曲を書いた。土地に根ざした物語を異なる言語に置き換える作業はオリジナルの物語を殺すことになりかねないが、シングの天才は、英語で語り直した物語に新たな命を吹き込むことに成功している。

Lyric

スティーヴィー・スミス「手を振っていたんじゃなくて、溺れていたんだ」

死んだその男の声は、誰にも聞こえていなかったのだが、
彼は横たわったまま、まだうめいていた――
僕は君たちが思ってたよりも、遥かに沖合いにいて、
手を振っていたんじゃなくて、溺れていたんだ

かわいそうなあいつ、いつもふざけてばかりいて
あげくのはてに死んでしまった
さぞかし冷たかっただろう、心臓がついに止まってしまった
とひとびとが言った。

ああ、ちがう、ちがう、ちがう、いつだって冷たかった
（死んだ男が横たわったまま、まだうめいていた）
僕は生きている間じゅう、遥かな沖に出ずっぱりで
手を振っていたんじゃなくて、溺れていたんだ

“Not Waving but Drowning”
Stevie Smith

Nobody heard him, the dead man,
But still he lay moaning:
I was much further out than you thought
And not waving but drowning.

Poor chap, he always loved larking
And now he’s dead
It must have been too cold for him his heart gave way,
They said.

Oh, no no no, it was too cold always
(Still the dead one lay moaning)
I was much too far out all my life
And not waving but drowning.

死んだ男が訴える胸の内

溺れ死んだ男のつぶやく声が聞こえてくる詩である。男は海の沖で溺れていたのだが、岸にいたひとたちは皆、彼が手を振っているのだと勘違いして、助けに来てくれなかった。ひとびとは、男がふざけるのが好きなのを知っていたから、溺れているように見えたとしても、冗談でやっていると思ったらしい。

締めくくりの部分で、男はさらに言いつのる。自分は、溺れ死んだあの日だけでなく、一生涯ずっと海の沖で溺れ続けていたのだ、と。

この詩は中学生でも読める英語で書かれていて、死んだ男が未練がましくつぶやいているところにブラックユーモアが感じられる。軽みのある語り口だけれど、テーマはずっしりと重たい。

語る声は三つある。第一連の最初の二行は芝居のト書きみたいな語り。客観的な視点から一部始終を注視する、神のような声だ。三行目と四行目は死んだ男が一人称でつぶやいている。第二連を語っているのは、最終行に出てくる「ひとびと」。この「ひとびと」は溺死した男の人柄を知っているので、新聞やテレビで事故のニュースを知った他人ではなく、男の友人や親族に違いない。

第三連は死んだ男のひとり語りだが、カッコ内に第一連と同じ、全知のト書きが挿入されている。

こうして読んでみると、シンプルなように見えて、案外凝ったつくりの詩である。つぶやいている男は現実に溺れ死んだのだろう。だが、第三連のひとり語りに耳を澄ますと、溺死というのは隠喩でもあるとわかる。この男にとっては日々生きることそのものがアップアップだったのだけれど、周囲のひとたちにはそれが全然伝わっていなかった。彼はつねに死を間近に感じながら、明るく振る舞い、ひとりぼっちで生きていたのだ。苦笑いをまぶされた峻《しゅん》烈《れつ》な孤独が胸を打つ。

この詩の着想源になった話を、作者は新聞で読んだのだという。作者自身による、歌うような朗読はネットで聞くことができる。さらに、この詩に曲をつけて演奏した作品も複数存在する。一九九五年、BBCが「イギリス人が選ぶ一〇〇編の愛誦詩《あいしょうし》」というアンケートをおこなったとき、この詩はキップリング、テニスン、ウォルター・デ・ラ・メアの作に次ぐ四位に入った。

詩人シルヴィア・プラス（Ⅱ「打ち身」参照）は自殺する前の年にスティーヴィー・スミスに手紙を書いて彼女の詩を讃美し、自分のことを「深刻なスミス中毒者」と呼んだ。プラスはスミスに直接会いたかったようだが、プラスの自殺により、二人は会えずに終わったという。

Lyric

シルヴィア・プラス「打ち身」

その一点に色が押し寄せる、鈍い紫。
身体の他の部分は洗い上げられて、
真珠の色。

岩の穴の中で
海が憑かれたようにすすっている、
ひとつのくぼみは海全体のかなめ。

ちょうど蠅《はえ》一匹の大きさ、
破滅をもたらすあざが
壁を這《は》い下りていく。

心臓は閉鎖、
海は滑らかに退いて、
鏡という鏡に布が掛けられる。

“Contusion”
Sylvia Plath

Color floods to the spot, dull purple.
The rest of the body is all washed out,
The color of pearl.

In a pit of rock
The sea sucks obsessively,
One hollow the whole sea’s pivot.

The size of a fly,
The doom mark
Crawls down the wall.

The heart shuts,
The sea slides back,
The mirrors are sheeted.

あざの奥に潜むものを語る

この詩に描かれているのは打撲による傷だけれど、語り手と傷の間には距離があり、打撲傷を受けたのは語り手の身体ではないかのようだ。読者にはそう感じられる。

打ち身はあざになる。傷を受けた瞬間はなんともない場所に内出血が生じて、じんわりした痛みがあとから襲ってくる。その一方で、あざ以外の身体は真珠のように白い。これが第一連。

第二連では打ち身の傷が海岸の岩穴にたとえられる。穴の上から覗くと、底のほうに満ちてきた海水が岩や砂に染みこんでいくのが見える。あたかも何かに取り憑かれた人がすすり込むように、世界の中心みたいな穴の中へ海水が染みこんでいく。これが第二連。

第三連は打ち身の「あざ」を蝿のイメージでとらえている。蝿（＝あざ）が「壁を這い下りていく」というところがよくわからないのだが、鈍い痛みをたとえているのだろうか？

最後の連はおだやかでない。心臓が止まり、潮は引き、鏡に布が掛けられるとはどういうことなのだろうか？

語り手は打ち身の傷を精緻に観察している。内出血の様子やずきずきする感じがよく伝わってきて、読んでいるこちらまで痛みの記憶が蘇ってくる。だがしかし、打ち身の傷は隠喩であって、本当に語りたいのはたとえの奥に潜む何かではないのか？

　そう思いなおして、今一度この詩を読むと、いくつかの単語がまがまがしく見えてくる。二行目の‘the body’には「死体」の意味もある。まさか、「洗い清められた遺体」ではあるまいが……。さらに、‘obsessively’にこもる擬人法は不気味な悪鬼を想い起こさせる。海水を一心不乱にすすり込む悪鬼の後姿が見えるようだ。‘fly’‘doom’‘Crawls’という単語群までが、いっせいに死を指差しているように思えてくる。

　最後の一行は、潮が引いたせいで穴を覗いても空が映っていないことを述べているのだろう、たぶん。だが二度三度と読み直すうちに、死者を弔うために死者の部屋の鏡に布を掛けたようにも思えてくる。

　この詩の語り手は目に見えるあざを描きながら、おそらく、死と肩を並べるほどの重たい心の傷を暗示している。あざのイメージを語ることばの水面下に、見えない傷、あるいは根深い悲しみが横たわっているのだ。

〈II　謎と不安〉の余白に

石垣りん「盗難」

〈II　謎と不安〉では、運命に翻弄される人間、謎が解かれぬまま伝承されてきた歌、死んでからようやく秘めた不安を語る男の話などを紹介しました。番外編では、詩人にしか見えない銀行の謎について考えてみましょう。

石垣りん（1920～2004）という詩人をご存じでしょうか？　国語の教科書で「表札」という詩を読んだひとがいるかもしれません――「自分の住む所には／自分の手で表札をかけるに限る。／／精神の在り場所も／ハタから表札をかけられてはならない／石垣りん／それでよい。」（伊藤比呂美編『石垣りん詩集』岩波文庫、2015年、102ページ）。

自立心旺盛だった彼女は、自分のお金で好きな文芸雑誌などを買いたかったので、高等小学校を卒業後、14歳で事務見習いとして銀行に入社したといいます。ところが、好き勝手に暮らすどころか、乏しい給料で5人の家族を養う運命が待っていました。長年、苦心と苦労を重ねたことでしょう。彼女は詩を書くことによってひとりだけの世界を確保し、日々の不安を作品化することで、精神の平衡を保っていたのかもしれません。

「盗難」という詩は第一詩集『私の前にある鍋とお釜と燃える火と』（1959年）所収の作。銀行の出納課長が重たい扉を閉めた後の夜の金庫が描かれます――「安泰であると思われている／金庫／／から毎夜／何かが失われてゆくのだ／不思議に何かが、／ごっそりと減ってゆくのだ／／翌朝／銀行員は何の異常もない、と／落ち着き払っているけれど／それは額面だけのことであった」（上掲書、58ページ）。

金庫の中で毎晩、失われていく「何か」とは何でしょうか？　この謎はたぶん、経済学では解けません。ブンガクの専門分野です。詩人は読者と一緒に謎を解こうとします。銀行員である彼女は、お金を稼いで、銀行に預けている世の中のひとびとは、稼いだ分とひきかえに何かを失っている、という日々の実感に基づいた心の算数について考えているのです。

III

愛と欲

Narrative Poem

オウィディウス『変身物語』（第三巻より）

僕が微笑んだら、君は微笑みを返す。僕が泣くと、君の両頰にしばしば涙が見えた。君は僕のうなずきに会釈を返す。君のやさしい唇の動きからして、僕のことばにも答えを返してくれているのだが、そのことばは僕の耳には届かない。——おお、僕は彼なのだ！　感づいてはいたものの、今ようやく、僕自身の姿だとわかった。僕は自分自身に恋の炎を燃やしている。火を点けたのは僕で、炎に悩まされているのも僕。どうしよう？　求愛されるべきか、求愛すべきなのか？　そもそもなぜ求愛するのか？　求めているのは僕自身が持っているもの。あふれんばかりの僕の富が、僕自身を貧しくしている。ああ、僕を僕自身の体から切り離すことができればいいのに！　恋する者の祈りとしては奇妙な言いぐさになるけれど、愛するものが僕から遠く離れてくれたらいいのに！

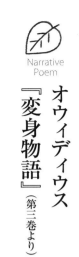

Metamorphoses

Ovid **(Translated by Frank Justus Miller)**

When I have smiled, you smile back; and I have often seen tears, when I weep, on your cheeks. My becks you answer with your nod; and, as I suspect from the movement of your sweet lips, you answer my words as well, but words which do not reach my ears. — Oh, I am he! I have felt it, I know now my own image. I burn with love of my own self; I both kindle the flames and suffer them. What shall I do? Shall I be wooed or woo? Why woo at all? What I desire, I have; the very abundance of my riches beggars me. Oh, that I might be parted from my own body! and, strange prayer for a lover, I would that what I love were absent from me!

(From Book III)

自己愛の心模様の実況中継

引用したのはナルキッソスのひとり語りである。ナルシシズム（自己愛）の語源になったナルキッソスは、思い上がりの強い美少年だった。自分自身に恋い焦がれた末にやつれて死んだナルキッソスは、泉水を覗き込む姿の水仙の花に生まれ変わったという。澄み切った泉の水面に映るわが身を相手に、思いの丈をぶちまけるつぶやきを味わっていただきたい。

出典の『変身物語』は、ギリシア・ローマの神話・伝説を長短取り混ぜて二五〇話ほど数珠《じゅず》つなぎにして、ひとつの長い物語に仕上げた詩篇。短い話はきびきびと要旨が語られ、長い話は登場人物たちの直接話法を交えながら、まるで近代小説みたいにリアルに語られる。ナルキッソスの物語は後者である。以下にあらましをまとめてみよう。

森に住む妖精《ニンフ》エコー（こだま）があるとき、ナルキッソスの姿を見て一目惚れした。ところが、自分から声を掛けることができず、相手のことばを繰り返すことでしか意思を伝えられない彼女はナルキッソスに愚弄《ぐろう》されて、無残にも振られてしまう（エコーはしばしば、森で妖精たちとたわむれている夫ユピテルを捜しに来た女神ユノーを長話でひきとめ、妖精たちを逃したため、ユノーによって言語能力が制限されてしまったのだ）。振られた心痛により、エコーの肉体はやせ細って消え、こだまだけの存在になる。

一方、思い上がったナルキッソスは、周囲の者たちを侮辱し続けているうちに復讐の女神の呪いを受けて、失恋を経験するよう運命づけられる。ナルキッソスは寝食を忘れ、水に映ったわが身に見惚れて語りかけ続けるが、自分自身への執着と陶酔でしかないその恋は決して実らない。やがて彼は、かつてむごく袖《そで》にしたエコーと同じように恋やつれして、肉体がやせ細って死んでいくのである。

『変身物語』によれば、ナルキッソスが生まれたとき、「この子はじゅうぶんに成熟する年頃まで生きられますか」と尋ねられた予言者テイレシアス（Ⅱ『オイディプス王』参照）は、「彼自身を知らなければ（長生きできる）」と答えた。自らの影（水面に映った映像、実体のない虚像）に気を取られて社会性を失っていく、若者の心模様の実況中継みたいな独白は率直でほろ苦く、それゆえにずっしり重い。ナルキッソスの悲話は、自らを知り、自らを受け止めて生きるとはどういうことなのかをあらためて読者に考えさせる。

なお、『変身物語』のラテン語原文はヘクサメトロスという詩形で書かれた韻文だが、アメリカの古典学者フランク・ジャスタス・ミラー（一八五八～一九三八）は韻律のない散文体で本作を英訳している。

Narrative Poem

ダンテ・アリギエーリ『神曲』（地獄篇第五歌より）

「ある日、わたしたちは暇つぶしに、ランスロットがいかにして恋に苦しめられたのかを語る物語を読んでいました。ふたりきりでしたが、疑念はかけらもなかったのです。
読んでいた書物のせいで、ふたりは何度か目を合わせて、ふたりして顔色を変えました。ところがある一瞬がきて、わたしたちはついに降参しました。
やさしい微笑みを浮かべた顔に、あのような恋人が口づけする場面を読んだとき、このひと――以後永遠にわたしのそばを離れないこのひと――が、
ぶるぶる震えながらわたしの口にキスしたのです。ふたりにとってのガレオットはその書物、そしてその著者。わたしたちはその日、そこから先を読みませんでした」

The Divine Comedy

Dante Alighieri **(Translated by John Aitken Carlyle)**

"One day, for pastime, we read of Lancelot, how love constrained him; we were alone, and without all suspicion.

Several times that reading urged our eyes to meet, and changed the colour of our faces; but one moment alone it was that overcame us.

When we read how the fond smile was kissed by such a lover, he, who shall never be divided from me,

kissed my mouth all trembling: the book, and he who wrote it, was a Galeotto. That day we read in it no farther."

(From *Inferno*: Canto V)

この恋は地獄に落ちても後悔はない

ここは地獄。クレオパトラ、ヘレネー、アキレウス、パリス、トリスタンなど、愛のために命を失った有名人の魂がさまようあたりに、抱き合ってひとつになった男女が飛んでいる。ダンテが声を掛けるとそのカップルが近寄ってきて、女のほうが、ふたりに死をもたらした愛の経緯を語り出す。

女は十三世紀、イタリアのラヴェンナ領主の娘として生まれた貴婦人で、名前はフランチェスカ・ダ・リーミニ。男も貴族で名前はパオロ・マラテスタ。フランチェスカは、パオロの兄でリーミニ領主のジャンチョットに嫁いだが、読書中にパオロと道ならぬ恋に落ちた。一部始終を物陰から見ていたジャンチョットは、即座にふたりを殺したという。そのせいで恋人たちは、地獄に落ちている。

「ランスロット」は伝説上の人物。アーサー王の円卓の騎士のひとりで、アーサー王の妃グウィネヴィアと恋仲になった男である。「ガレオット」は恋の仲立ちをする者のこと。この場合はアーサー王物語の書物がふたりの恋の仲立ちをしたのだ。「わたしたちはその日、そこから先を読みませんでした」というせりふがせつなくも官能的に響く。

『神曲』は壮大な叙事詩である。著者であり語り手でもあるダンテが、死者の世界をツアーしてまわる物語が一〇〇篇の歌で描かれる。地獄・煉獄《れんごく》・天国からなる冥界のなりたちはカトリック教会の教義に則っており、ダンテが出会う死者たちは、伝説の登場人物からダンテの同時代人――フランチェスカとパオロもそうだ――まで、さまざまな背景を持つ。ダンテの冥界めぐりにはすばらしい道案内がつく。地獄と煉獄のガイド役を買って出るのは古代ローマの叙事詩人ウェルギリウスの亡霊で、天国はダンテの永遠の恋人ベアトリーチェが案内する。

ダンテはトスカーナ方言のイタリア語で『神曲』を書いた。当時、ヨーロッパ各国で高等教育を受けたひとびとが書き言葉として共有していたのはラテン語だが、彼はあえて自分が生まれ育った土地のことばを用いた。その意図を尊重するなら、『神曲』は格調高い文語体で訳すよりも、くだけた口語に移すのがよさそうだ。

引用したのは、スコットランドの評論家・歴史家トマス・カーライルの弟で医師・著述家のジョン・エイトケン・カーライル（一八〇一～七九）による英訳。『神曲』の原文はテルツァリーマ（三韻句法）と呼ばれる三行連で書かれているが、英訳では長い一行が三行連に相当する。引用全体は原文の四連十二行を英訳したものである。

Lyric

ピエール・ド・ロンサール「恋人が年老いたとき」

君がとても年老いたとき、夜、火のそばに
　腰を下ろし、糸を紡ぎ、僕の歌を口ずさみながら、
きっとこうつぶやく。「あーあ、今は昔、
若い頃には、ロンサールがわたしを歌にしたのよ」
それを聞いたら、君に仕える娘たちはひとり残らず、
　骨折り仕事でたとえくたくたになっていても、
　僕の名前を耳にすれば、はっと目を覚まして、
あなたこそは祝福された女、末長く記憶されるお方、と呼ぶだろう。

かく言う僕が地面の下に寝そべってまどろみ、
ギンバイカの木陰に出没する幽霊になる頃には、
　君だって火のそばに坐《すわ》る、白髪頭の老婆になるだろう。
僕の恋人よ、自分自身の傲慢さを悔いるがいい。
ああ、僕を愛して、愛しておくれ、ふたりして幸せになろう。
　今日が今日と呼ばれているうちに、薔薇《ばら》を摘むがいい。

"Of His Lady's Old Age"
Pierre de Ronsard (Translated by Andrew Lang)

When you are very old, at evening
  You'll sit and spin beside the fire, and say,
Humming my songs, "Ah well, ah well-a-day.
When I was young, of me did Ronsard sing."
None of your maidens that doth hear the thing,
  Albeit with her weary task foredone,
  But wakens at my name, and calls you one
Blest, to be held in long remembering.

I shall be low beneath the earth, and laid
On sleep, a phantom in the myrtle shade,
  While you beside the fire, a grandame gray,
My love, your pride, remember and regret;
Ah, love me, love, we may be happy yet,
  And gather roses, while 'tis called to-day.

その日を摘め！

恋愛詩は古今東西に数々あれど、本作はヨーロッパの恋愛詩の典型。〈僕の求愛を拒んでいるうちに君は年老いてしまう。想像してごらん、老いてから後悔しても遅いよ。僕の愛に応えるつもりがあるのなら今しかないんだ！〉という論法で女性を口説く男の歌である。

この論法の背景にあるのは、〈どうなるかわからない明日を当てにするよりも、今日を有効に使うほうが賢い〉という考え方である。この処世訓は古代ローマの詩人ホラティウスの詩にある一節、「その日を摘め《カルペ・ディエム》」が典拠。ロンサールの詩の最終行は、フランス語の原文では「生命の薔薇《ばら》を摘むがいい」となっている。「薔薇」は若くて旺盛な生命の象徴なのだ。

歳を重ねた人間の精神は叡智《えいち》に近づくという思想がある一方で、老いた肉体を醜悪なものと見なす伝統がヨーロッパには根強い。〈枯れ果てる前に美しい薔薇を摘むべきだ〉という人生観の根本には、霊魂の不滅性とその入れ物である肉体の有限性を対照的にとらえる二元論があるのだろう。

なおこの詩は、イタリアに起源を持つ十四行詩（ソネット）である。英訳は原作のフランス語に準じた脚韻様式を持っており、翻訳技術の高さを窺わせる。訳者はイギリスの詩人・小説家・民俗学者のアンドルー・ラング（一八四四〜一九一二）。フランス古詩の英訳、スコットランドの歴史研究、ホメロスの叙事詩をはじめとするギリシア古典の英訳、さらに世界の民話や妖精物語の収集家としても知られた、多彩な才人である。

ところで先ほど述べたように、この詩は恋愛詩のお手本なので、もじりや替え歌を書くひとが出ても不思議はない。次に拙訳で掲げるのは、アイルランドの詩人イェイツ（V「湖の島イニスフリー」参照）がつれない恋人に捧げた詩「君が年老いて」（全一二行）である。

君が年老いて白髪頭になり、年中居眠りしてばかりで／炉端でまどろむようになったら、この本を取り出して／ゆっくり読んでほしい。そうして、君の瞳がかつて宿した／やさしいまなざしと、深い翳《かげ》りを夢見てほしい。／／晴れやかな気品に溢れた、絶頂期の君を愛した者は何人いたか／嘘の、あるいは本物の愛で愛した者が何人いたのかは知らないが／その中にひとりだけ、君の内面に宿る巡礼者の魂を愛し／くるくる変わる表情にひそむ、悲しみを愛したやつがいたのだ。／／ねえ君、あかあかと燃える暖炉の脇にかがみ込んで／少しだけ悲しげにつぶやいてみてはくれないだろうか。／〈愛〉が逃げ去り、高くそびえる山々の頂を歩いた末に／群がる星のあいだにまぎれて、その顔を隠すにいたった顚末を。

Narrative Prose

ジェイン・オースティン『高慢と偏見』（第三十一章より）

「あなたのいとこさんに理由を尋ねてみましょうか?」フィッツウィリアム大佐のほうを向いたままで、エリザベスが言った。「分別があり、教育も受けていて、上流社会で生きてきた男性がなぜ、知らないひとに話しかけるのが苦手なのかを?」

「わたしが答えましょう」とフィッツウィリアムが返した。「本人に問うまでもありません。骨身を惜しまずにがんばるのが嫌いだからですよ」

「初対面のひととすぐさま会話する能力に恵まれているひとたちもいますが」とダーシーが口を開いた。「僕にはその能力がない。皆さんと違って、上手に相づちを打ったり、相手の関心事に興味があるかのようにふるまえないのだ」

「わたしの指も同じです」とエリザベスが言った。「世の女性の多くはこの楽器を見事に弾きこなすけれど、わたしの指には強さも速さもなくて、音色だって太刀打ちできません。でもいつもわたしは、悪いのは自分だと思っています。労を惜しまずに稽古するのが嫌いなだけ。この手の指が、ピアノがもっと上手な女性たちの指よりも劣っている、と考えているわけではないのです」

Pride and Prejudice
Jane Austen

'Shall we ask your cousin the reason of this?' said Elizabeth, still addressing Colonel Fitzwilliam. 'Shall we ask him why a man of sense and education, and who has lived in the world, is ill qualified to recommend himself to strangers?'

'I can answer your question,' said Fitzwilliam, 'without applying to him. It is because he will not give himself the trouble.'

'I certainly have not the talent which some people possess,' said Darcy, 'of conversing easily with those I have never seen before. I cannot catch their tone of conversation, or appear interested in their concerns, as I often see done.'

'My fingers,' said Elizabeth, 'do not move over this instrument in the masterly manner which I see so many women's do. They have not the same force or rapidity, and do not produce the same expression. But then I have always supposed it to be my own fault – because I would not take the trouble of practising. It is not that I do not believe *my* fingers as capable as any other woman's of superior execution.'

(From Chapter 31)

ユーモアは愛から湧き出す

エリザベスは年収二千ポンドの地主の娘、ダーシーは年収一万ポンドの大地主で独身者、フィッツウィリアム大佐はダーシーのいとこ。三人は、ダーシーのおばが所有する豪壮な屋敷を訪問している。フィッツウィリアムのリクエストに応えて、自信のないピアノ演奏を披露した後で、エリザベスは大胆にも、ダーシーが自覚している弱点にあえて突っ込みを入れる。

才気煥発で、自分は人間観察に秀でていると自認する彼女は、ダーシーの高慢な態度に強い反感を覚えるばかりで、自分自身が囚われている偏見にはまだ気づいていない。他方、思慮深いのに内気なダーシーは、ほがらかで聡明なエリザベスに密かに惹かれている。

さて、会話を読んでみよう。エリザベスはダーシーをやり込めるのかと思いきや、そうではない。彼女は、ダーシーと自分は似たもの同士だと言いたいのだ。彼女はダーシーを冷たくあしらうことができない。相手の心にユーモアで探りを入れているのがその証拠である。

ダーシーはこの引用に続くセリフで、「お互い、知らないひとの前で芸達者なところを見せるのは得意でないのですね」と返せたまではよかったものの、会話はそこで立ち消えになる。

ふたりの間の誤解が解けるまでには、まだたくさんのページが費やされなくてはならず、読者はこの小説を手元から離すことができなくなる。

オースティンは十九世紀初頭のイングランドの地主階級に焦点を当てて、結婚をめぐる男女や家族の心模様を細やかに描いた。自分が熟知する社会に愛着を持ち、リアリズムに徹することで、彼女の小説世界は決して古びない普遍へと突き抜けた。その魅力にあやかって、映画化（ジョー・ライト監督『プライドと偏見』二〇〇五年公開など）やテレビドラマ化（『高慢と偏見』イギリスBBC、一九九五年放送）もされた。

さらには、小説のその後を描く続編やスピンオフや翻案も数多く出ている。ヘレン・フィールディングの小説『ブリジット・ジョーンズの日記』（一九九六年）とその映画化（シャロン・マグアイア監督、二〇〇一年公開）などは代表的なものだが、フランス映画『英雄は嘘がお好き』（ローラン・ティラール監督、二〇一八年公開）も隅に置けない。『高慢と偏見』と同時代のブルゴーニュのお屋敷を舞台とし、才気煥発な令嬢エリザベットを主人公とするこの映画は、エスプリあふれるロマンティック・コメディである。

Narrative Prose

メアリー・シェリー『フランケンシュタイン、あるいは現代のプロメテウス』（第10章より）

「落ちつけ！　呪われたこの頭に憎しみを浴びせかける前に、話を聞いてくれ。今まで味わった苦しみでは足りないから、もっとみじめにさせてやろうという魂胆か？　人生とは苦悶《くもん》の山に過ぎないのかもしれぬが、生きることを愛するおれは人生を守りたい。おまえはおれを、自分自身よりも強くこしらえた。おれはおまえよりも背が高く、関節はより柔軟だ。そのことを思い出すがいい。とはいえ、おまえに攻撃を仕掛けるつもりはない。なにしろ、おれはおまえの被造物だからな。おまえがなすべき役割をちゃんと果たしてくれさえすれば、当然の主人であり王であるおまえにたいして、おれはおとなしく従うつもりだ。ああ、フランケンシュタインよ、他のひとびとには公平にふるまいながら、おれだけを踏みにじるのはやめてくれ。おまえはおれにたいしてこそ公平であるべきで、同情と慈愛をくれるべきではないのか。おれはおまえの被造物だ。そのことを思い出してくれ。おまえのアダムであるはずのおれは、まるで堕天使。何ひとつ悪いことをしていないのに、おまえはおれを喜びから閉め出した。幸せはいたるところに見えているのに、おれひとり排除されて、入りこむ余地がない。おれだって以前は優しくて善良だった。みじめな日々のせいで悪鬼《あっき》になってしまったのだ。おれを幸せにしてくれ。そうすれば高潔さを取り戻せる」

Frankenstein; or, The Modern Prometheus
Mary Shelley

"Be calm! I entreat you to hear me before you give vent to your hatred on my devoted head. Have I not suffered enough, that you seek to increase my misery? Life, although it may only be an accumulation of anguish, is dear to me, and I will defend it. Remember, thou hast made me more powerful than thyself; my height is superior to thine, my joints more supple. But I will not be tempted to set myself in opposition to thee. I am thy creature, and I will be even mild and docile to my natural lord and king if thou wilt also perform thy part, the which thou owest me. Oh, Frankenstein, be not equitable to every other and trample upon me alone, to whom thy justice, and even thy clemency and affection, is most due. Remember that I am thy creature; I ought to be thy Adam, but I am rather the fallen angel, whom thou drivest from joy for no misdeed. Everywhere I see bliss, from which I alone am irrevocably excluded. I was benevolent and good; misery made me a fiend. Make me happy, and I shall again be virtuous."

(From Chapter 10)

喜びから閉め出された者の訴えを聞け！

若き天才科学者フランケンシュタインが人造人間をこしらえた。ところが、そのものに生命を吹き込んだ直後、たくさんの死体から寄せ集められたその男（人造人間は男だった）の容姿がたいそう醜悪だと判明すると、産みの親であるフランケンシュタインは相手を「怪物」とみなし、置き去りにして逃げてしまう。

彼は「怪物」に名前さえつけず、神ならぬ人間の身で命あるものをこしらえた責任――「怪物」は自分自身を「おまえのアダムであるはずのおれ」と呼んでいる――を放棄した。現実を直視しようとせず、みずからの苦しみばかり言い立てるフランケンシュタインは、科学者としては天才的だが、人間としてはへなちょこである。天界から火を盗み出して人類に与えた結果、ゼウスから罰せられ、拷問を受けたギリシア神話の英雄プロメテウスに較べると、弱さが目立つ人物だ。その一方で、無名の「怪物」は独学で言語を習得し、書物を読んで世界の成り立ちも理解して、自分が置かれた状況や望みを論理的に語れるところまで成長している。

ここに引用したのは、ふたりがアルプスの山中で久しぶりに出くわしたときの、「怪物」のセリフ。つくり主との絆を一方的に断ち切られ、世の中のあらゆる幸福へのアクセス権を剝奪された彼は、アイデンティティーのよりどころを失い、殺人鬼と化して、フランケンシュタインの周囲を脅かしている。彼は「おれを幸せにしてくれ。そうすれば高潔さを取り戻せる」と訴える。究極の望みは、フランケンシュタインに「同等の者」（すなわちイブに相当する人造人間の女）をつくってもらい、その女と一緒に暮らすことなのだ。望みが叶うかどうかについては、小説そのものを読んで確かめてみてほしい。

　愛を求める孤児によく似た「怪物」の境遇は、フランケンシュタインの内面で抑圧された無意識、男性中心主義社会の中の女性、資本家に搾取される労働者階級、帝国主義の下で植民地支配を受ける国など、さまざまなものの寓意や表象として解釈されてきた。本作を読み解きながら、小説技法や批評理論の数々を紹介・解説する、廣野由美子著『批評理論入門――『フランケンシュタイン』解剖講義』（中公新書、二〇〇五年）はとても勉強になる。

「怪物」はフランケンシュタインの分身なのか、それとも、フランケンシュタインと対立する他者なのか？　「恐怖小説」というレッテルづけを大きくはみ出す本作には、考えるヒントがぎっしり詰まっている。

Narrative Prose

エミリー・ブロンテ『嵐が丘』（第十章より）

「どうぞ、おかけください」エドガー様がついにおっしゃいました。「ミセス・リントンが昔をなつかしんでいます。わたしから君に心からのおもてなしをするよう、家内が望んでいるのですよ。もちろんわたし自身としても、家内が喜ぶことはすべて、わが喜びです」

「わたしも同じ気持ちです」とヒースクリフが答えました。「わたしにも出番があるのならば、なおさらです。一時間か二時間、喜んでご一緒させていただきましょう」

彼はキャサリン様の向かいの席に坐りました。奥様はまるで、ご自分が目をそらしたら彼が消えてしまうかもしれない、とでも言わんばかりに、ヒースクリフを見つめ続けました。ヒースクリフのほうはあまり目を上げず、ときどき奥様をちらりと見るだけで満足なようでした。とはいえ、ちらりと目を上げるごとに自信が増して、ヒースクリフの視線は奥様の視線からまぎれもない喜びをごくごく飲んでおりました。

ふたりとも、ふたりだけの喜びに夢中になって、気恥ずかしさのかけらも見せませんでした。エドガー様は違います。混じりけのない不愉快が湧き出して、お顔がみるみる青くなりました。奥様が立ち上がり、絨毯《じゅうたん》の上を横切って、ヒースクリフの手を再び取って、我を忘れたひとみたいに大笑いしはじめたとき、旦那様のお怒りは頂点に達しました。

Wuthering Heights
Emily Brontë

"Sit down, sir," he said, at length. "Mrs. Linton, recalling old times, would have me give you a cordial reception, and, of course, I am gratified when anything occurs to please her."

"And I also," answered Heathcliff, "especially if it be anything in which I have a part. I shall stay an hour or two willingly."

He took a seat opposite Catherine, who kept her gaze fixed on him as if she feared he would vanish were she to remove it. He did not raise his to her often; a quick glance now and then sufficed; but it flashed back, each time more confidently, the undisguised delight he drank from hers.

They were too much absorbed in their mutual joy to suffer embarrassment. Not so Mr. Edgar; he grew pale with pure annoyance, a feeling that reached its climax when his lady rose, and stepping across the rug, seized Heathcliff's hands again, and laughed like one beside herself.

(From Chapter X)

夫の嫉妬を尻目に奥様は元カレと見つめ合う

妻が結婚する前につきあっていた男が三年ぶりに戻ってきた。野卑《やひ》だったはずなのに、すっかりジェントルマンに変身していた。夫はその男の顔など見たくもないのだが、妻に気を遣ってやんわりと応対する。妻のほうは明らかに浮き足立って、今でも男にぞっこんである。男はヒースクリフ、夫はエドガー、妻はキャサリン（＝奥様、ミセス・リントン）。物語の語り手は長年〈嵐が丘〉に仕え、家族のドラマをすべて見聞きしてきた家政婦のネリー。

これは、エミリー・ブロンテの長編小説『嵐が丘』の有名な場面である。キャサリンが正気を失って死ぬまでの話にしぼった漫画版や映画版ではクライマックスのひとつに見えるけれど、原作はキャサリンの親の代から子どもの代に至る三世代が描かれる大河小説なので、まだまだ序盤のエピソードだ。原作ではこの再会をきっかけに、ヒースクリフによる復讐の物語がダイナミックに動きはじめる。

気まずいこの場面が生じたそもそもの原因は、〈嵐が丘《ワザリング・ハイツ》〉という屋号を持つアーンショウ家の農場に生まれ育ったキャサリンが、格上のリントン家が暮らす〈鶫《つぐみ》が辻屋敷（スラッシュクロス・グレインジ〉のお坊ちゃん、エドガーに心惹かれたことにある。キャサリンの幼なじみとして〈嵐が丘〉で育った孤児のヒースクリフは、彼女との間に揺るぎない心の絆を結んだつもりでいたのだが、自分の居場所はもうないと悟った。そうして黙って姿を消した。

キャサリンはエドガーと結婚し、リントン家の奥様として〈鶫が辻屋敷〉で暮らすようになった。ところが三年後、ヒースクリフが突然舞い戻ってきた。屋敷の扉を叩いた彼は、エドガーと対等に渡り合えるほどの身なりと物腰と富を身につけて戻ってきたのである。

〈嵐が丘〉と〈鶫が辻屋敷〉を取り囲むのは北イングランド、ヨークシャーの、丘また丘が続く荒野である。樹木がほとんど生えていないので見晴らしはよいものの、実際に歩いてみると、見えている場所になかなかたどり着けなくて、不思議な戸惑いを覚えたりもする。彼方の家は他者の心に似ている。離れた家々を荒野という荒海に囲まれた島々にたとえてみよう。島々は孤立しながら、幾世代もの時を経るうちに濃密な関係を結ぶ。だが、親しいはずの人間の心の奥底まではそう簡単にたどり着けないのだ、たぶん。

Narrative Prose

イワン・セルゲーエヴィチ・ツルゲーネフ

『初恋』（第22章より）

おお、青春、青春よ！　おまえは何も大事にせず、宇宙の宝をすべて持っているようなもので、悲しみさえもおまえを慰め、憂鬱《ゆううつ》さえもおまえに似合い、おまえときたら自信たっぷりな向こう見ずで、「わたしはひとりで生きていく――見てごらん！」なんて豪語する。ところが日々は過ぎゆき、清算もせずに跡形もなく消え失せて、おまえの中であらゆるものが消え失せる。あたかも太陽を浴びた蠟か、雪のように……。おまえの魅力の秘密はおそらく、何でもできる能力にあるのではなく、自分ならこの先何でもやれるぞ、と考えることができる可能性にこそある――つまり、青春は、他にはどうにも使い方がわかっていない力を風のまにまにまき散らしてしまうという事実、わたしたちひとりひとりが自分のことを本気で浪費家だと見なし、「ああ、時間を無駄遣いさえしなければ、何だってできたのだ！」と言い放つ権利があると考えている事実にこそ、青春の魅力の秘密があるのだ。

かくいうわたしもそうだった……ため息をつき、悲しみを抱えながら、つかの間姿を現したわが初恋の亡霊をどうにかこうにか見送ったとき、わたしは何を望み、何を期待し、どれほど恵まれた未来を予感しただろう？

First Love
Ivan Sergeyevich Turgenev **(Translated by Isabel F. Hapgood)**

O youth, youth! Thou carest for nothing: thou possessest, as it were, all the treasures of the universe; even sorrow comforts thee, even melancholy becomes thee; thou are self-confident and audacious; thou sayest: "I alone live — behold!" — But the days speed on and vanish without a trace and without reckoning, and everything vanishes in thee, like wax in the sun, like snow.... And perchance the whole secret of thy charm consists not in the power to do everything, but in the possibility of thinking that thou wilt do everything — consists precisely in the fact that thou scatterest to the winds thy powers which thou hast not understood how to employ in any other way, — in the fact that each one of us seriously regards himself as a prodigal, seriously assumes that he has a right to say: "Oh, what could I not have done, had I not wasted my time!"

And I myself ... what did I hope for, what did I expect, what rich future did I foresee, when I barely accompanied with a single sigh, with a single mournful emotion, the spectre of my first love which had arisen for a brief moment?

(From Chapter XXII)

意を決して初恋を語る

パーティーの後、三人だけ居残った男たちが初恋の話を披露し合おうとしたとき、口下手な四十男のウラジーミルは、後日ノートに一部始終を書いてきて読み聞かせよう、と二人に約束する。中編小説『初恋』で回想されるのは、ノートに記された十六歳のウラジーミルの純愛物語である。

一八三三年の夏、モスクワ郊外の別荘に両親とともに住んでいた少年ウラジーミルは、中庭を隔てた家に引っ越してきた二十一歳のなまめいた娘ジナイーダに、一目惚れしてしまう。彼女は自分の周囲に、彼女をちやほやしてくれる「崇拝者たち」を五人も集めて、恋愛ごっこするのを好む男たらしだ。ウラジーミルはいきなり大人たちの悪ふざけに参加して、恋心に身をよじるはめになる。やがて彼は、ジナイーダが本物の恋をしていることに気づき、彼女の恋の相手を知ろうとするあまり、疑心暗鬼に苦しみはじめる。そしてある晩、中庭で見張っていた彼はジナイーダの恋の相手を目撃する……。

ウラジーミルはじきに別荘から引っ越さなければならなくなり、ジナイーダと別れるときがくる。彼は別れ際に、「一生愛します」と彼女に誓い、そのことばを違《たが》えずに四十になっても独身を貫いているのだ。

ノートの後半には、ウラジーミルが引っ越した後、ジナイーダの恋が、自分のうぶな恋とはまったく異質な、生臭くて痛ましい本物の恋だと気づく瞬間が描かれる。そして数年後、ウラジーミルは、誰かと結婚したジナイーダと再会する機会を得そうになるのだが……。

引用したのはノートの締めくくり部分の一節。人生の後半にさしかかり、自分の青春を冷静に振り返ったときに得られる、嘆息まじりの感想が披瀝《ひれき》されている。四十歳を過ぎた読者なら、誰しもうなずきたくなるのではないか？

青春を生きる若者は可能性と恋に落ちている。だが人生も半ばに至ると、望んだもののうちで実現されたものはわずかだったと気づいたりする。青春はほとんど恥ずかしい。だがそれゆえにこそ、青春はいとおしい。こんなに赤裸々な話は語るべきでなかったのかもしれないけれど、口下手のウラジーミルはとっておきの話を語らずにいられなかったのだろう。

英訳者のイザベル・F・ハプグッド（一八五一～一九二八）は、アメリカ合衆国ボストン出身の世界教会主義者《エキユメニスト》で、ロシア文学とフランス文学の翻訳者として活躍した。

Narrative Prose

ギ・ド・モーパッサン「小樽」

「さて、おばあさん、調子はどうだね。いつもながら元気満々かな?」

「まあまあだよ。そっちはどうだい、シコさんや?」

「うん、まあ、ときどき持病の痛みはあるが、達者なほうだよ」

「ほほう、よかったね」

彼女はそれ以上何も言わなかった。シコは彼女の作業を眺めた。頑丈そうで節くれ立った、蟹足みたいに湾曲した指が、大きな籠の中から灰色のジャガイモをつかみ取った。そうしてそのイモをすばやく、くるりくるりと廻していくと、もう片方の手の中にある古びた包丁の刃の下から、長い皮がするすると出た。黄色い中味がむきだしになったジャガイモは、水が入ったバケツの中に次々と落とされる。大胆にも三羽の雌鶏《めんどり》がしゃしゃり出て、スカートの襞《ひだ》に乗ったイモの皮をついばんだかと思うと、嘴《くちばし》にくわえたまま一目散に走って逃げた。

“The Little Cask”
Guy de Maupassant (Translated by Lafcadio Hearn)

“Well, old mother, how is the health, — always hearty, eh?”

“So-so, — and you, Maître Chicot?”

“Eh! eh! — just a little twinge once in a while; otherwise I’m all right enough.”

“*Allons!* — so much the better.”

And she said nothing more. Chicot watched her working. Her crooked fingers, knobby and hard as the legs of a crab, caught up the grey potatoes from the big basket; and she turned them round and round quickly, taking off long bands of peelings under the edge of an old knife which she held in the other hand. And as soon as each potato was all yellow, she threw it into a bucket of water. Three impudent chickens would come one after the other to pick up the peeling even from the folds of her skirt, and then would run away as fast as their legs could carry them, with their booty in their beaks.

欲は身を失う

短編小説の冒頭に近い一節である。男は宿屋食堂のあるじで四十がらみ、人柄はかなりのくせ者である。女のほうは御年《おんとし》七十二歳だが、若い娘のように疲れを知らない働き者。ジャガイモの皮を剝く手際の良さはほとんど芸術のようだ。小説家はしばしば、登場人物の性格や人柄を読者に向かって説明する代わりに、かれらの行動を具体的に描いてみせる。「おばあさん」が健勝で、堅実質素な暮らしをしてきたことは、このパラグラフを読めば読者の胸に染みこむだろう。

モーパッサンはフランス北西部ノルマンディーの出身で、彼の地の漁師や農民の生き方を観察し、リアルに描写した作品に定評がある。この短編もそのひとつで、この先、「おばあさん」が持っている土地をどうしても買い取りたい「シコ」と、自分が生きてきた地盤を売る気などない「おばあさん」のあいだで心理的な戦いがはじまる。慎重で倹約家である反面、ずるがしこくて、敵に回すと手強いところもあるのはお互い様だ。

十ページにも満たないこの短編小説が描き出すのは、人間の内面に隠れていた欲が暴き出されていくプロセスである。「おばあさん」は「シコ」から金銭をまんまと絞り出すのに成功するが、粘り腰の「シコ」は「おばあさん」に酒の味を覚えさせ、せっかくの健康を損なうようにしむけていく。さてこの隠微な戦いはどちらに軍配が揚がるだろうか?

ノルマンディーではブドウが採れないので、ワインではなくリンゴ酒が盛んに飲まれている。醸造酒としてはシードルが、蒸留酒としてはカルヴァドスが愛飲される。物語の後半、「シコ」が聞こえよがしに、「ロザリー、上等の、極上の、*fil-en-dix*(蒸留酒)を持ってきておくれ」と呼ぶ声を聞いて、使用人が持ってくるのは、紙でこしらえたブドウの葉を貼りつけた細身のボトルである。ブランデーに擬態したカルヴァドスに違いない。シコは強い酒が入った「小樽」——この短編のタイトル——を「おばあさん」に進呈して、彼女に酒癖をつけてやろうと企んでいるのだ。

本作の英訳はラフカディオ・ハーンの手によるもの。ハーンは日本へやって来る前にニューオリンズで暮らし、当地の新聞『タイムズ゠デモクラット』紙にモーパッサンをはじめとするフランス人作家の作品を数多く英訳して載せていた。これはそのひとつである。

Narrative Prose

F・スコット・フィッツジェラルド「飛行機乗り継ぎの三時間」

「あなたよ」彼女が声を上げた。「見て！」

彼は見た。半ズボンの少年が桟橋に立っていて、後ろにヨットが見える。

「わたし、覚えてる――」彼女は勝ち誇ったように言った。「――この写真を撮った日のこと。キティが撮った写真を彼女から盗んだのよ、わたし」

ドナルドは一瞬、写真の中の自分自身が自分でないように思えた――それで、もっと近寄って見直すと――やはり自分ではなかった。

「俺じゃない」と彼が言った。

「あなたよ。フロンテナックで撮ったんだもの――あの夏わたしたち――あの洞窟へよく行ったじゃない」

「洞窟？　俺はフロンテナックには三日間しかいなかったよ」彼は今一度、黄ばんだ写真に目をこらした。「これは俺じゃない。ドナルド・バ、、、、ウアーズだ。あいつと俺はよく似てたんだ」

彼女は彼を見つめていた――後ろにもたれて、彼から遠ざかろうとするかのように。

「だってあなたはドナルド・バウアーズでしょ！」そう叫んだ声が少し上滑りしていた。「あら、違う。あなた、ドナルド・プ、、、ラントなのね」

“Three Hours Between Planes”
F. Scott Fitzgerald

“Here’s you,” she cried. “Right away!”

He looked. It was a little boy in shorts standing on a pier with a sailboat in the background.

“I remember — ” she laughed triumphantly, “ — the very day it was taken. Kitty took it and I stole it from her.”

For a moment Donald failed to recognize himself in the photo — then, bending closer — he failed *ut*terly to recognize himself.

“That’s not me,” he said.

“Oh yes. It was at Frontenac — the summer we — we used to go to the cave.”

“What cave? I was only three days in Frontenac.” Again he strained his eyes at the slightly yellowed picture. “And that isn’t me. That’s Donald *Bowers*. We did look rather alike.”

Now she was staring at him — leaning back, seeming to lift away from him.

“But you’re Donald Bowers!” she exclaimed. Her voice rose a little: “No, you’re not. You’re Donald *Plant*.”

過去の出来事に嫉妬は無用

旅客機で旅するのがとてもぜいたくだった時代の話だ。ひとりの成功したビジネスマンが、アメリカ合衆国中西部の小さな空港に降り立つ。その土地はたまたま、故郷のすぐ近くである。男は、乗り継ぎのためにぽっかり開いた三時間を利用して、十二歳の頃に好きだったクラスメイト、ナンシーの連絡先を電話帳で探し、会ってみようと思い立つ。

ふたりの間には二十年のときが流れている。ドナルド・プラントはすでに妻と死に別れ、ナンシーのほうは結婚しているものの、出張中の夫の浮気を疑っている。寂しさを抱えた幼なじみが語りあううちに、いい雰囲気になってきたのもつかの間で、それぞれが反芻《はんすう》してきた甘美な思い出の食い違いが判明する。ナンシーが「洞窟へよく行った」相手が別人だったとわかった瞬間、ドナルドは強烈な嫉妬に囚われる。

遠い過去の恋に嫉妬することは幻滅と自己嫌悪以外の何ものをももたらさない。このことは、ジェイムズ・ジョイスの中編小説「死者たち」（映画化された『ザ・デッド／「ダブリン市民」より』〔ジョン・ヒューストン監督、一九八七年〕もある）に描かれているとおりである。「死者たち」では、妻が告白した大昔の淡い悲恋話を受けとめかねた夫は、ホテルの窓の外で降りしきる三十年ぶりの大雪を眺めながら心を鎮めることになる。

珠玉の短編というべき本作にも、それとよく似た苦い気分が巧みにすくい取られている。わずか十ページほどの作品を締めくくるパラグラフを読んでみよう――「ドナルドはまた、飛行機を乗り継ぐための三時間にたいそう多くのものを失った。とはいえ、人生後半がものごとを処分していく長丁場であることを思えば、今回の経験で失ったものなどはおそらく重要ではないのだ」。

本作は『グレート・ギャツビー』で知られる作者の死の翌年、雑誌『エスクァイア』（一九四一年七月号）に発表された。若くして富と名声を博し、〈ジャズ・エイジ〉の寵児《ちょうじ》としてもてはやされたフィッツジェラルドが三十代以降、深酒で健康を害し、妻ゼルダは統合失調症と診断されて、人生も執筆活動も思うようにいかなくなったことはよく知られている。再帰を狙う小説家が未完の長編小説『ラスト・タイクーン』に取り組んでいた時期に、過ぎ去った青春への感傷と達観がせめぎあうこの短編を書いていた姿を想像すると感慨が深い。

エリザベス・ビショップ「ひとつの技芸」

ものをなくす技芸をきわめるのは難しくない。
しかるべくしてなくなるものは世に多いので
なくすことは、災難なんかじゃないのだから。

毎日なにかをなくすこと。ドアの鍵をなくして、
無駄に時間を過ごした、あわてっぷりを受け入れる。
ものをなくす技芸をきわめるのは難しくない。

もっとたくさん、もっとはやく、なくす練習。
場所とか名前、行くつもりだった旅先なんかも。
いくらなくしても、災難なんかじゃないのだから。

母の時計をなくしたばかりか、わたしったら!
好きだった三軒のうち、最近のとその前の家もなくした。
ものをなくす技芸をきわめるのは難しくない。

わたしは二つの都市をなくした、どっちも素敵だった。

もっと大きな地域もなくした、二つの川と、大陸ひとつ。
なつかしいけど、災難なんかじゃないのだから。

——(あなたの冗談やしぐさは好きだけど)
いなくなってもへっちゃらだよ。何度も言うけど
ものをなくす技芸をきわめるのは難しくない。
(メモしといて、い、い、いね!)災難に見えるのは見た目だけ。

"One Art"
Elizabeth Bishop

The art of losing isn't hard to master;
so many things seem filled with the intent
to be lost that their loss is no disaster.

Lose something every day. Accept the fluster
of lost door keys, the hour badly spent.
The art of losing isn't hard to master.

Then practice losing farther, losing faster:
places, and names, and where it was you meant
to travel. None of these will bring disaster.

I lost my mother's watch. And look! my last, or
next-to-last, of three loved houses went.
The art of losing isn't hard to master.

I lost two cities, lovely ones. And, vaster,
some realms I owned, two rivers, a continent.
I miss them, but it wasn't a disaster.

—Even losing you (the joking voice, a gesture
I love) I shan't have lied. It's evident
the art of losing's not too hard to master
though it may look like (*Write* it!) like disaster.

やせ我慢をユーモアでくるんで歌う

ものをなくすのは〈失敗〉とみなされるのが普通である。ところがこれを修得すべき〈技芸〉であると捉え直した瞬間、世界の見え方が一変する。名づけによって世界が別ものになるのは、詩が隠し持つ魔法のおかげである。

本作は超絶技巧が要求される〈ヴィラネル〉という詩型で書かれている。全体は十九行で、三行連が五つ続き、最終連のみ四行。第一連の最初の行が第二連と第四連の最終行で繰り返され、第一連の三行目が第三連と第五連の最終行で繰り返される。さらに、これらふたつのリフレインは詩を締めくくる対句となる。ビショップは単なる反復を嫌い、大胆なアドリブを加味しつつ、これらの形式的要求と折り合いをつけている。なお、三行連の脚韻（I「ソネット18番」の解説参照）はabaを最後まで繰り返していく（とはいえ悲しいかな、拙訳では反復される脚韻のリズムは見る影もない）。

農夫や牧人の暮らしを歌う詩型であったらしい〈ヴィラネル〉は、十六世紀フランスで文学的に洗練され、十九世紀後半から二十世紀にかけて英米の詩人たちが秀作をいくつか残している。abaと脚韻を踏む三行連が延々と繰り返されるので、物語を展開していくよりも、ひとつの感情や気分を変奏し、深めていくのに適した詩型である。

ビショップは本作を晩年に書いた。各地に移り住んだ人生をごく簡潔に回顧した詩になっている。彼女は当時アルコール依存症を抱えていて、執筆がおぼつかない状態だった。自伝的散文をまとめるつもりでとりかかったものの、途中で路線を変更して散文を捨て、とどのつまり、約束事の多い詩型にことばをはめ込んだ〈歌〉に仕上げたことがわかっている。現実の生臭さが残る、プライベートな記憶とことばのあいだに、定型詩という器がはさまったおかげで、感情が抑制されて、完全無欠なやせ我慢の詩が完成したのだ。

作者の人生に照らして、壮絶なやせ我慢の実体を紹介しよう。

ビショップは生後八ヶ月のときに父に死なれた。悲しみに沈んだ母は精神病院に入院してしまい、ビショップが五歳のときに会ったのが最後になった。母は入院したまま、娘が二十三歳のときに死去する。作者の記憶の中で生き続けたに違いない母の記憶を思えば、「母の時計」をなくすことの重みが窺える。

ビショップは家族経営の建設会社社長だった父が残した財産を相続していた。遺産を小出しに使うことで、ぜいたくさえしなければ、定職に就かずに旅を続けたり、各地に住み替えをしながら、詩を書いて暮らしていけたのだ。

「大好きな三軒の家」は九年ほど住んだフロリダのキーウェストの家と、二箇所合わせると十七年も暮らした、ブラジルのペトロポリスとオウロ・プレトの家々をさす。それぞれの家はビショップが同性の恋人と暮らした場所である。失った「三軒の家」は記憶の住みかでもあったはずだ。「大陸ひとつ」というのは、南アメリカのことらしい。最終連に出てくる「あなた」は、助手・友人として晩年の詩人を支えたアリス・メスフェッセル。詩行にほのめかされているように、一度はビショップの元を去ったけれど、後に戻ってきて、彼女の死を看取り、死後は管財人も務めた人物である。

以上、あれこれ詮索を試みたが、詩人の伝記的事実など知らなくても、この詩はじゅうぶん味わえる。悲しみをユーモアでくるんで、精一杯やせ我慢している語り手の気持ちを汲み取って（というか、その気持ちにぼくたち自身のやせ我慢を一枚重ねて）微笑みを返せさえすれば、本作は読者それぞれの詩になるのだから！

最後に、最終行の（*Write it!*）の日本語訳についてひとこと。ぼくはこの部分を、詩の語り手が「あなた」に語りかけていると解釈して、「（メモしといてね！）」と訳したのだけれど、このセリフは語り手のひとりごとかもしれない。その場合は自分に檄《げき》を飛ばす感じで、「（書くのよ！）」とでも訳したらよいと思う。最後にlikeが二回繰り返されているところは、大切なひとを失うことだってdisasterじゃないのだ、と言い切ることへのためらいが見え隠れして、ぐっとくる。ぜひとも朗読してみてほしい。

〈III　愛と欲〉の余白に

髙樹のぶ子『小説伊勢物語　業平』

〈III　愛と欲〉では自己愛、悲恋、初恋、金銭欲、嫉妬などにまつわる話を紹介しました。番外編では恋愛の教科書みたいな古典を語り直した小説を読んでみましょう。

『伊勢物語』といえば、ショートショートみたいな散文物語の勘所《かんどころ》に短歌を据えた、日本古典文学特有の〈歌物語〉の代表作で、作者不明の短編が125段集められています。

数々の恋の主人公は在原業平《ありわらのなりひら》とされ、この本には平安時代初期の「色好み」の世界が詰まっていますが、注釈を頼りに原文で読もうとするともどかしい。現代語訳だと話が短すぎてそっけない感じ。もっと豊かに、かゆいところに手が届くように語ってくれたらいいのに、と長年思っていたら、この本を業平の一代記と見なして小説化した作品が登場しました。段の順序を入れ替え、内容を整理し、原文では語られていない背景や細部を現代語でたっぷり補った、ジューシーな恋物語を現代作家が書いたのです。

髙樹のぶ子著『小説伊勢物語　業平』（日本経済新聞出版、2020年）の、「武蔵鐙《むさしあぶみ》」と題された章を読んでみると、原作の第31、32、10、33、11、12、13段がたくみにつなぎあわされて、東国の旅が語られています。業平が他人の娘を盗んで武蔵野を逃げる有名な話（第12段）が「恐ろしい夢」として語られるところなど、さすがは語り上手の小説家です。

ぼくは原作の注釈書を手元に置き、和歌索引を使いながら、小説版におけるつぎはぎの手際を探る探偵ごっこをしてみたのですが、こうした読み方も古典と現代を繋ぐ新たな手立てかもしれません。

最後に、絶唱のひとつが現代語で語り直されている一節を引用します。どの歌か分かりますか？――「ああ。この月はいつぞやの月とは違うのか。この春は去年の春ではないのか。何も変わらぬ月や春のはずなのに、わが身だけが元のままあの御方を思い続けているせいで……」（上掲書、212ページ）。

IV

野生と文明

ウィリアム・ワーズワース「問い返し」（第六連から最終連）

春の森がくれるひとつの刺激のほうが
人間について、また、悪と善の
倫理についても、よく教えてくれる
どんな賢人にも真似ができないほどに

自然がもたらす知識は素敵なものだが
人間のおせっかいな知性は
美しいものたちの姿を台無しにする
——解剖するために殺してしまうのだ

科学も技術ももうたくさん
収穫をもたらさない書物は閉じて
戸外へ出ようじゃないか
観察し、受け止める心を持って

“The Tables Turned”
William Wordsworth

One impulse from a vernal wood
May teach you more of man;
Of moral evil and of good,
Than all the sages can.

Sweet is the lore which nature brings;
Our meddling intellect
Misshapes the beauteous forms of things;
— We murder to dissect.

Enough of science and of art;
Close up these barren leaves;
Come forth, and bring with you a heart
That watches and receives.

(The sixth stanza to the final stanza)

書物を捨てて自然の中へ

英単語の'nature'は、人間の理性が重視され、形式に則った完璧さを重んじる古典主義が支配的だった十八世紀には、もっぱら「人間性」を意味していた。ところが、感情や情緒の力が再発見され、人間の内発性や型破りな独創性に価値が見出されるロマン主義の時代になると、'nature'の語義は、人為や手業による営み（'art'）と対置された「自然」が前面に出てくる。

引用したのはイギリスのロマン派詩人ワーズワースが、盟友コールリッジと共著で出した第一詩集『抒情歌謡集』（一七九八年）におさめた詩の一節。

イングランド南西部の、風光明媚なサマセット地方の屋敷を借りて暮らしていた詩人を、友人の文芸評論家ウィリアム・ハズリットが訪問したのをきっかけに書かれた作の後半部分である。ハズリットがそのときのことを書いたエッセイによれば、その場に同席したコールリッジは野鳥の鳴き声の聞き分け方について語ったのだが、ハズリットとワーズワースは哲学的な話になってしまい、お互いに自説をうまく伝えられなかったのだという。

ワーズワースは書物、すなわち先人の知恵から学ぼうとするハズリットと、人為を離れた自然からより多くを学ぼうとする自分自身が語りあう形式を設定して、まず最初に「忠告と返答」という詩を書いた。次に本作「問い返し」を書き、『抒情歌謡集』に二作を並べて収録し、二巻本に増補した第二版（一八〇〇年）ではこれら二作を巻頭に据えた。分析的な知は対象を「解剖するために殺してしまう」が、観察する心は対象を生きたまま総合的に「受け止める」、と主張する語り手は、書物（＝理性、古典主義）に対する自然（＝情緒、ロマン主義）の優位性を宣言するかのようだ。

「忠告と返答」のさわりの部分も引いておこう――「僕はまた思うのだが、自然には諸力があり／その力で僕たちの心に感銘を与えてくれるので、／心が賢い受動モードにあるときには／僕たちは自らの心を養えるのだ。（"Nor less I deem that there are powers,/Which of themselves our minds impress,/That we can feed this mind of ours,/In a wise passiveness."）」「賢い受動モード」という心の状態は、本作末尾の「観察し、受け止める心」と一脈通じている。自然を分析しようとする理性が出しゃばるのを抑え、森羅万象に心を開いて自然をありのままに受容する姿勢は、ワーズワースが残した貴重な精神的遺産である。

サミュエル・テイラー・コールリッジ「年老いた船乗りの詩」（第二部より）

来る日も、来る日も、
われらは動けず、風も波もなく、
絵に描かれた海原に浮かぶ
描かれた船のように無為《むい》無聊《ぶりょう》。

水、水、いたるところに水があるのに、
船板は干からびて縮み、
水、水、いたるところに水があるのに、
一滴も飲めなかった。

大海原そのものが腐ったのだ。どうしよう！
こんなことになろうとは！
その上、ねばつくものどもが足《あ》掻《が》きつつ、
わだつみのねばつく水面を這い回るしまつ。

“The Rime of the Ancient Mariner”
Samuel Taylor Coleridge

Day after day, day after day,
We stuck, nor breath nor motion;
As idle as a painted ship
Upon a painted ocean.

Water, water, every where,
And all the boards did shrink;
Water, water, every where,
Nor any drop to drink.

The very deep did rot: O Christ!
That ever this should be!
Yea, slimy things did crawl with legs
Upon the slimy sea.

(From Part II)

自然が人間に復讐をはじめるとき

赤道直下の海域で帆船が立ち往生している情景。語っているのは、窮地を乗り越えて陸に戻ったひとりの年老いた船乗りである。この苦境を招いたのは彼自身だった。霧の中からあらわれて、船について飛んできた巨大なアホウドリを、ある日、彼が理由もなく弩《おおゆみ》で射落としたせいで、自然と人間との調和が乱れ、吉兆であったはずのアホウドリが復讐しはじめたのだ。

アホウドリの死骸は、年老いた船乗りが罪滅ぼしをなしとげるまで、十字架の代わりに彼の首から吊り下げられる。仲間の乗組員たちはやがて死に絶え、ぼろぼろになった帆船は、超自然的な現象が次々に起こる大海原をあちこちさまよう。そして、長期間の試練を経た後、年老いた船乗りに掛けられた呪いはようやく解け、船は天使たちに守られて故郷へ戻ってくる。陸に上がった年老いた船乗りは残りの人生をかけて、自らの恐ろしい経験を他者に語ることにより、神によってつくられ、神が愛する万物を人間として愛することの大切さを、ひとびとに伝えるための旅に出る。

この詩は年老いた船乗りが、婚礼の宴に行こうとしていたある若者を路上で引き留めて、今概略を述べた身上話を語り聞かせる趣向になっている。読者は若者とともに、怪奇と神秘が織りなす航海を追体験することになる。「年老いた船乗りの詩」が語られる四行連は、元来口伝えで歌われてきた物語詩（バラッド）（Ⅱ「その血はなんだい?」参照）に特有な「バラッド連」（弱強調の四行連で二行目と四行目に脚韻〔Ⅰ「ソネット18番」の解説参照〕を踏む）を流用している。コールリッジは語り物であるバラッドの形式をたくみに応用しながら、書き物としての詩をこしらえたのだ。

細部に注釈をつけるならば、最後の部分の「ねばつくものども」の正体がよくわからない。「足掻きつつ」と訳した部分を「四つ足で」とする解釈もあるけれど、いまひとつぴんとこない。ところが、フランスの画家ギュスターヴ・ドレがこの詩につけた挿絵を見たら、船の周囲の海面に裸の男女が集まっている場面が描かれていた。ドレは「ねばつくものども」を水死者の亡霊たちだと解釈したのである！　なるほど、そうかもしれない。

小ネタをもうひとつ。「絵に描かれた海原に浮かぶ／描かれた船のように無為無聊」という二行はブラム・ストーカーの小説『ドラキュラ』（〈Ⅴ　ここと彼方〉参照）の第七章に引用されて、ドラキュラ伯爵が潜む船が無風状態の海原にぽつんと浮かんでいる場面を効果的に形容している。このように、印象的な詩行は機転の利いた引用によって第二、第三の生命を与えられることがある。

Narrative Prose

エドガー・アラン・ポー「アルンハイムの地所」

水盤に似たこの小湾はたいそう深かったけれど、水がとても澄んでいたから、一目見ただけで、純白でなめらかな丸石が敷き詰めてあるらしき水底がはっきり見えた。そして、この深い水底を見ないようにすれば、逆さまの空を背景に、花咲く丘の連なりが写し取られているのがわかった。だが丘の上には、樹木はおろか大小の灌木《かんぼく》もない。この風景を見る者の心につくり出される印象をまとめれば豊かさ、暖かさ、さまざまな色、静けさ、一貫性、柔らかさ、繊細さ、優美、なまめかしさにくわえて、人為が生んだ奇跡的な極致。目の前に広がる世界は、働き者で審美眼があり、気宇《きう》の大きさと気むずかしさを併せ持つ、新奇な部族の妖精たちが見る夢さながらであった。だが視線が、彩なす丘が水面に接する明瞭な境界線から上に向かい、やがてその丘が、垂れ込める雲のひだの中へ消えゆくところまでたどっていくうちに、ルビーやサファイアやオパールや黄金のオニキスが、空の上から音もなく転がり落ちてくるさまを想像せぬわけにはいかなかった。

"The Domain of Arnheim"
Edgar Allan Poe

This basin was of great depth, but so transparent was the water that the bottom, which seemed to consist of a thick mass of small round alabaster pebbles, was distinctly visible by glimpses, that is to say, whenever the eye could permit itself *not* to see far down in the inverted heaven the duplicate blooming of the hills. On these latter there were no trees, nor even shrubs of any size. The impressions wrought on the observer were those of richness, warmth, colour, quietude, uniformity, softness, delicacy, daintiness, voluptuousness, and a miraculous extremeness of culture that suggested dreams of a new race of fairies, laborious, tasteful, magnificent, and fastidious; but as the eye traced upward the myriad-tinted slope, from its sharp junction with the water to its vague termination amid the folds of overhanging cloud, it became indeed difficult not to fancy a panoramic cataract of rubies, sapphires, opals, and golden onyxes, rolling silently out of the sky.

自然を改良して風景庭園をこしらえた男

大昔の大学入試には、しばしばこんな感じの英文が出題された。息継ぎが長く、文章の構成が複雑で、倒置法や省略や列挙などの修辞技法が満載された美文である。意味を読み解いて、語られている中味にうなずきを返すためには、何度も行きつ戻りつしなくてはならない。ましてやその中味を他者に通じる日本語に移そうとすれば、さらなる試行錯誤を繰り返さずにはいられない。

とはいうものの、そうした読みの体験そのものが、ここに描かれた風景庭園が持つ、精巧な美しさを仔細に観察するプロセスと等価になるよう仕組まれている。濃密な美文には腰を据えて向きあうことが肝心で、じっくり手間暇をかけさえすれば、ちゃんとご褒美《ほうび》がいただける。一見すると自然のようだが、じつは人の手で磨き上げられたこの風景は、ことばでこしらえた庭園であるとも言える。この文章においては、形式と内容がぴたりと一致しているのだ。

短編小説「アルンハイムの地所」の主人公は、途方もない金額の遺産を相続したエリソンという男で、彼はその財力を用いて自然の改良にとりかかる。エリソンは詩人的な資質に恵まれていたが、狭い意味での詩人や音楽家にはなろうとはせず、大自然そのものに向き合い、自然を改良して芸術作品にする道を選んだ。

詩を意味する英単語"poetry"の語源をさかのぼっていくと、ラテン語を経由してギリシア語の「ポイエーシス」までたどりつく。その原義は、「それまで存在しなかったものを存在せしめる人間の行為」。エリソンが企てた風景庭園の造営はまさに「ポイエーシス」を地で行く創作行為だったわけである。

「アルンハイムの地所」の前半には自然と芸術の関係をめぐる哲学的なお談義が延々と続き、後半には、パノラマ的な眺望を持つ土地に造営された庭園の全貌が、訪問者の視点から微に入り細を穿《うが》って描写される。江戸川乱歩の長編小説『パノラマ島奇談』は本作へのオマージュであるという（「江戸川乱歩」というペンネームがエドガー・アラン・ポーへのオマージュであることは言うまでもないだろう）。

あるいはまた、ベルギーの画家ルネ・マグリットは「アルンハイムの地所」と題する油絵を繰り返し描いた。謎めいたそれらの絵には必ず、遠景の雪山の尾根に鷲の頭の形をした岩がそびえ立ち、近景の胸壁《きょうへき》の上にふたつの卵が置かれている。空に三日月が描かれ、卵のそばに灯されたロウソクが置かれているバージョンもある。「アルンハイム」は元来オランダ語で、「鷲の家」という意味である。

シャルル・ボードレール「異国の香り」

アヘンの夢を見るときみたいに目を閉じて
おまえの熱っぽい胸の匂いを吸い込んだら、
冥界《めいかい》を流れる地獄の川と、一瞬たりとも
動きを止めぬ落日の炎が、幻の中に見えてくる。
怠惰なひとつの島があって、そこでは自然の女神の
不自然なたくらみが美味の果実によって鎮《しず》められ、
男たちの肉体は彼らの女たちがもてなす客人、
女たちの肉体は見かけ通りのものではない。

おまえの匂いに鼻面をつかまれて、面紗《ベール》の熱の只中《ただなか》へ
向かっていくと、帆柱《ほばしら》と帆とがひしめく港が見えて、
その港は俺をじらす海風にじらされていて、

タマリンドの香りのうちに、正体は不明なのだが
じつに見事な快楽が寄り添っていて、俺の魂の中で
船乗りが歌う耳慣れた歌と混ざり合っているのだ。

“Parfum Exotique”
Charles Baudelaire (Translated by Arthur William Symons)

When with eyes closed as in an opium dream
I breathe the odor of thy passionate breast,
I see in vision hell’s infernal stream
And the sunset fires that have no instant’s rest:
An idle island where the unnatural scheme
Of Nature is by savorous fruits oppressed,
And where men’s bodies are their women’s guest
And women’s bodies are not what they seem.

Guided by thine odor towards the heat of veils,
I see a harbor filled with masts and sails,
Wearied by the sea wind that wearies me,

And in the perfume of the tamarind there clings
I know not what of marvelous luxury
Mixed in my soul with the song the mariner sings.

匂いをことばが追いかける

匂いは記憶を呼び覚まし、連想力を活性化させる。五感の中で嗅覚だけが、大脳と直接つながっているのだそうだ。視覚・聴覚・味覚・触覚によって得られた情報は脳の視床《ししょう》というところで整理され、統合処理がおこなわれた末に大脳へ届く。ところが嗅覚の場合は、そのような知的処理をぜんぶ端折《はしょ》って、生な匂いの情報が大脳を直撃するのであるらしい。

このソネット（十四行詩）では、女性の体臭の奔放な振る舞いをことばが追いかけながら、匂いが掻きたてる記憶や連想をせっせと記述していく。匂いは幻影をもたらし、視覚（「川」、「落日」）ばかりか、味覚（「美味の果物」）や触覚（「肉体」）や聴覚（「耳慣れた歌」）を次々に刺激する。

「異国の香り」を体現する詩中の女性は、作者が「黒いヴィーナス」と呼んだ恋人ジャンヌ・デュヴァルである。彼女はカリブ海の群島、西インド諸島の大都市サントドミンゴ出身で、パリの劇場で大部屋女優として働いていたときにボードレールと知り合い、以後、長年にわたってふたりは同棲した。詩集『悪の華』には彼女を歌った詩が二十編以上あり、この詩もその中のひとつである。

なお、「タマリンド」は亜熱帯から熱帯地方にかけて栽培される樹木で、食べられる果実がとれる。ボードレールは二十歳のときに体験した南洋への船旅で、本作後半にあらわれるような港湾風景やタマリンドの木を見たと思われる。

英訳者はイギリスの詩人・批評家のアーサー・シモンズ（一八六五〜一九四五）。ボードレールを先駆者とする象徴主義の詩を英語圏に紹介した人物である。

シモンズの英訳はフランス語の原文を拡大解釈して、官能性をいっそう膨らませていて好ましい。たとえば、「アヘンの夢を見るときみたい」は原作では「秋の暑い夜」、「冥界を流れる地獄の川」は「幸福な岸辺」、七行目から八行目の原文は「男達の肉体は細身でたくましく／女達のまなざしは驚くほど率直である」、さらに「面紗《ベール》の熱」（'the heat of veils'）という、女性が顔をおおうエキゾチックな薄布に熱波を喩えた表現は、原文ではもっとシンプルに「魅力的な気候の土地」と書かれている。巧みに誇張された英訳によって、ぼくたち読者は幻想的な「異国」の奥深くまで、引きずり込まれてゆくかのようだ。

Narrative Prose

ウィリアム・モリス『ユートピア便り』（第十五章〈コミュニズム社会における、労働の動機の欠除なるものについて〉より）

彼が言った。「（中略）われわれに富の欠乏はないのですが、いつの日か仕事が足りなくなるのではないか、という恐怖が皆のあいだに生まれつつあります。失うのが怖い、とわれわれが恐れているのは喜びであって、苦痛ではありません」

「なるほど」と私は言った。「そのことなら気づいていました。それについてもお尋ねしたかったのです。あなたたちが感じておられる仕事の喜びというのは、ずばりどういうものなのでしょうか？」

「ようするに、今ではあらゆる仕事が喜びなのです。仕事が完成した暁には名誉や富が得られると思えば、実際の仕事は楽しくなくても、喜ばしい興奮とともに仕事ができますからね。あるいはまた、機械的な仕事と呼ばれるものの場合には、仕事をすること自体が喜ばしい習慣になっておりますから。最後に（わたしどもの仕事はたいがいこれに当てはまりますが）、仕事そのもののなかに感覚を喜ばせるものがあるのを感じるからです。ようするに皆、芸術家《アーティスト》として仕事をしておるのですよ」

News from Nowhere
William Morris

He said: ' (. . .) whereas we are not short of wealth, there is a kind of fear growing up amongst us that we shall one day be short of work. It is a pleasure which we are afraid of losing, not a pain.'

'Yes,' said I, 'I have noticed that, and I was going to ask you about that also. But in the meantime, what do you positively mean to assert about the pleasurableness of work amongst you?'

'This, that *all* work is now pleasurable; either because of the hope of gain in honour and wealth with which the work is done, which causes pleasurable excitement, even when the actual work is not pleasant; or else because it has grown into a pleasurable *habit*, as in the case with what you may call mechanical work; and lastly (and most of our work is of this kind) because there is conscious sensuous pleasure in the work itself; it is done, that is, by artists.'

(From Chapter XV: On the Lack of Incentive to Labour in a Communist Society)

苦痛ではなく喜びである仕事とは？

ロンドン市内でおこなわれた「社会主義同盟」の会合に出席した男が、激論を交わした後、蒸し暑い地下鉄に揺られて郊外の自宅へ戻り、ベッドにもぐり込んだところ、ネガティブな経験の記憶がいっせいに押し寄せてきて、いつまでも寝つかれなかった。翌朝早く目が覚めて、外へ出てみると、そこは未来だった……。

『ユートピア便り』の舞台は二一〇二年のロンドンである。十九世紀人である「わたし」が迷い込んだ未来のロンドンは、社会主義的な理想郷として描かれる。引用したのは、理想郷の博物館に長年勤務して図書管理の仕事をした後、今では引退している「ハモンド老人」に、「わたし」がインタビューしている場面。産業革命以降の効率主義のせいで、「わたし」が暮らす十九世紀末には、賃金を稼ぐための労働は「苦痛」でしかなくなっていたのにたいして、理想郷においては「あらゆる仕事が喜び」である。それゆえ引用の冒頭にあるように、ひとびとは、仕事が足りなくなると（苦痛ではなく）喜びがなくなるのではないか、と恐れているのだ。

作者のモリスは、大量生産と大量消費がいちはやくはじまったヴィクトリア朝のイギリスで、時代の趨勢に逆らった人物である。彼は、壁紙やテキスタイルのデザイン、詩や小説の執筆、さらには社会主義や環境保護活動の実践などを通して、労働の意味を問い直し、手仕事の価値を再発見し、人間生活全般にわたるクオリティーを取り戻そうとしたのだ。

「ハモンド老人」の説明に耳を傾けながら、ぼくたち自身の仕事を振り返ってみよう。「喜ばしい興奮」や「喜ばしい習慣」や「感覚を喜ばせるもの」を感じたことはあるだろうか？「芸術家《アーティスト》」とは日々を生きるあらゆるひとを指すのだろう。「工匠《アーティザン》」と言い換えてみたくなるこの「芸術家」像は、高踏的な芸術よりも生活に結びついた工芸を重んじ、天才的な芸術家よりも技能に長けた工匠を尊ぶモリスの持論を反映している。

ここで思い出されるのは、手仕事に明け暮れた陶芸家河井《かわい》寛次郎《かんじろう》がつぶやいた警句である。「誰が動いて居るのだ　これこの手」「ひとりの仕事でありながら／ひとりの仕事でない仕事」「暮しが仕事　仕事が暮し」（『いのちの窓』東峰書房、一九七五年、一五および二七ページ）といったことばには、仕事と人生がひとつに結びついた歓喜があふれている。河井は、モリスが主唱した装飾芸術の改革に対応する、日本近代の民藝《みんげい》運動に参加して、民衆の生活道具を基本とするものづくりを推進した人物である。

ウォレス・スティーヴンズ「壺の逸話」

わたしはテネシーに壺を置いた。
丸々としたそれは、丘の上に鎮座した。
壺のおかげで、締まりのない
荒野がその丘を取り巻いた。

荒野が壺をめがけて身を起こし、
周囲に広がると、もはや野生ではなかった。
壺は地面の上で丸々として
背が高く、堂々たる姿だった。

壺はいたるところを支配した。
壺は灰色で丸裸だった。
壺は鳥や灌木のようにはふるまわず、
テネシーの他の何にも似ていなかった。

"Anecdote of the Jar"
Wallace Stevens

I placed a jar in Tennessee,
And round it was, upon a hill.
It made the slovenly wilderness
Surround that hill.

The wilderness rose up to it,
And sprawled around, no longer wild.
The jar was round upon the ground
And tall and of a port in air.

It took dominion everywhere.
The jar was gray and bare.
It did not give of bird or bush,
Like nothing else in Tennessee.

究極の壺とは何か？

「逸話」を辞書で引いたら、「ある人についての、世人にあまり知られていない、興味ある話」（『広辞苑』第七版）という解説が見つかった。壺は人間ではないけれど、この詩を読めばきっと、壺の隠れた一面がわかるに違いない。

テネシー州の荒野に突出した丘の上に壺を置いた、と語り手が口を開く。第二連では、丘の上の壺に向かって荒野が身を起こし、壺の回りに荒野が広がると、もはや荒野は野生ではなくなったという。へんてこな話だ。ようするにこの壺は何かの比喩か象徴なのだろう。第三連には、備前焼か伊賀焼みたいな感じの渋い壺が「いたるところを支配」している情景が描かれる。難しいのは第三連三行目の'give of'。日本語の大和言葉に相当する、シンプルないいまわしなのでかえって含蓄が深い。'give of oneself'と言えば、「できるだけのことをする」という意味になるが、ここでは、「（人間がこしらえた）壺は、（荒野の一部である）鳥や灌木のようなふるまいは（せず、それらのような雰囲気をかもし出したりも）しない」という意味になる。ようするに「壺」は、周囲から孤立して自己充足した、唯一無二の存在なのだ壺とはもしかして、大自然に対置された人工物一般のことではないか。人間は決して自然には勝てないけれど、自然にあらがい、抵抗した証拠を残すことならできる。火山で石が焼ければ溶岩になるが、窯《かま》で泥土を焼き固めれば壺になる。そうして、焼き上がった壺を自然の中に置けば、その壺が世界を支配しているかのように見えてくる。だって、ちっぽけな壺には、こいつは人間の手でこしらえたんだぞ、という大きなプライドが込められているのだから。

英語の'art'という単語が「人工／人為」にはじまり、「技術」や「芸術」までを意味するのは興味深い。人間の目には混沌にしか見えない自然／荒野に、秩序を与えるのが芸術なのだ。芸術とはすなわち壺。だとしたら、人間の想像力がつくり出す究極の壺とは何だろう？

土などなくても、ことばさえあれば生み出せる詩こそ究極の壺だ。この詩は、空間に置かれた壺のイメージを読者の心に植えつけ、想像力がことばをどう働かせるのかを示し、その結果生まれる詩を自画自賛している。シェイクスピアの「ソネット18番」〈〈I　ことばと沈黙〉参照〉と読みくらべてみてほしい。この詩の「壺」も「記念碑」の一種なのだと思う。

文法がかっちりしているから意味はとりやすいのに、内容を解釈しようとすると立ち往生させられる。そこがとても愛らしい作である。壺の意味を分析しようと試みたのだけれど、無粋だったかもしれない。壺に近づくには、あるがままの形をなでたり、さすったりしてみるほうがよかったのかも〈〈あるがまま〉をなでさする……ことについてはワーズワースの「問い返し」〈〈Ⅳ　野生と文明〉参照〉を読んでみてください〉。あるがままのこの詩は絵画よりも彫刻に似ている。詩が壺そのものなのだ。

Narrative Prose

ヴァージニア・ウルフ『オーランドー』（第四章より）

衣服というものは取るに足らぬ些細《ささい》なものにみえますが、人間を暖かく保つだけではなく、もっと重要な役目をもっている、とおっしゃる方々もおられます。衣服は私たちが世界を見る見方を変え、世界が私たちを見る見方をも変えるのです。例を挙げるならば、バートラス船長はオーランドーのスカートを見たからこそ、ただちに船員たちに命じて日除けを張らせ、ビーフをもうひと切れ召し上がれと勧め、上陸のさいには長艇に同乗するよう勧めました。彼女のスカートがふわりとなびかず、ズボンのごとく脚に貼りつくスタイルで裁断されておったならば、かような敬意が示されることはなかったでしょう。さて、敬意には敬意を返すのが当然のこと。オーランドーは会釈を返し、礼儀正しく応じました。善良な船長のご機嫌を取ったのは、彼が女物のスカートではなくしゃんとしたズボンを履き、女物のサテンのボディスではなく、組紐《くみひも》で飾った上着を着ていたから。でありますから、衣服が私たちを着ているのであって、私たちが衣服を着ているのではない、という意見に十分な道理があるのは自明でしょう。私たちが腕や胸をかたどって衣服をつくる一方で、衣服のほうでは私たちの心や頭や舌を思いのままにかたどっているのですから。

Orlando
Virginia Woolf

Vain trifles as they seem, clothes have, they say, more important offices than merely to keep us warm. They change our view of the world and the world's view of us. For example, when Captain Bartolus saw Orlando's skirt, he had an awning stretched for her immediately, pressed her to take another slice of beef, and invited her to go ashore with him in the long-boat. These compliments would certainly not have been paid her had her skirts, instead of flowing, been cut tight to her legs in the fashion of breeches. And when we are paid compliments, it behoves us to make some return. Orlando curtseyed; she complied; she flattered the good man's humours as she would not have done had his neat breeches been a woman's skirts, and his braided coat a woman's satin bodice. Thus, there is much to support the view that it is clothes that wear us and not we them; we may make them take the mould of arm or breast, but they mould our hearts, our brains, our tongues to their liking.

(From Chapter IV)

衣服が私たちを着ているのだ

小説『オーランドー』の主人公は変身を繰り返し、男女の枠を越えて生き延びていく。オーランドーは最初は男で、十六世紀末の英国王エリザベス一世にかわいがられる若い廷臣だったが、ロシアの皇女と大恋愛をした末に裏切られ、紆余曲折《うよきよくせつ》のあげく、ケント州の大邸宅を逃げ出してトルコへ渡る。彼の地で大使として活躍する姿を読者が見守っているうちに、オーランドーは暴動の最中に女性へと変身する。彼女はしばらくのあいだロマのひとびとに混じってテント暮らしをした後、望郷の念に駆られて英国へ戻ってくるのだが、時代はいつのまにか十八世紀になっている。

引用をご覧いただきたい。すべてを知る本作の語り手はなかなかお茶目で、物語の合間を盗んで、読者にお談義を聞かせたがる傾向がある。この部分は、オーランドー（今は女性）がケント州の屋敷からロンドンへ馬車で旅しているシーンで、道中の風景が退屈なので、読者を相手に一席、衣服をめぐる哲学をふっかけているところ。「バートラス船長」というのは、オーランドーをトルコから英国まで乗せてきた商船の船長である。

社会的動物としての人間はロールプレイをしているのであって、各々の役割は衣服という記号によって表示される、という思考が、「衣服が私たちを着ているのであって、私たちが衣服を着ているのではない」という警句で示されているのが小気味よい。

『オーランドー』はフェミニスト批評が盛んになった二十世紀後半に注目を浴び、今ではジェンダー研究の分野で必読のテクストになっている。とはいえ、かしこまって読むのは禁物だ、とぼくは思う。この小説の基本的なノリは哄笑《こうしょう》なのだから。興味を持たれた方は小説の全文を入手して、引用箇所の直前あたりで、オーランドーがルーマニアの「皇女」(目の前で男の「大公」に変身する)につきまとわれる一節を読んでみてほしい。予想外のドタバタに嵌《は》まること必定である。

サリー・ポッター監督が主演にティルダ・スウィントンを迎えて撮った映画『オルランド』(一九九二年公開)は、原作を見事に映像化した。笑いの要素は少ないけれど、めくるめく変転を繰り返しながら、現代(一九九〇年頃)まで生き続けるひとの生命の姿が美しく描かれている。

Narrative Prose

フランツ・カフカ「断食芸人」

小さな邪魔者、というか、どんどん小さくなっていく邪魔者。今の時代のひとたちだって断食芸人に興味を示すだろう、というピント外れの考えにひとびとが慣れてしまい、その認識が当たり前になった頃、彼にたいしてひとつの審判が下された。思う存分断食してよい——事実、彼はその通りにしていた——ただし今後、助け船は一切出さぬ、と。ひとびとは断食芸人の前を素通りした。誰に向かってでもいいから、断食芸の何たるかを説明してみるがいい！　断食を感じ取る心が相手になければ、とうてい理解できないだろう。美しい看板は汚れて読めなくなった。ひとびとは看板を引き剝がし、代わりを掲げようと考える者はいなかった。断食日数を掲げた小さな表は、はじめのうちこそ毎日ちゃんと更新されていたが、すでに長いこと放置されていた。数週間がたつうちに、こんな小さな仕事さえ担当者が厭《いと》うようになったからだ。かくして断食芸人は以前見た夢がかない、断食をはてしなく続け、以前予言した通りの記録を難なく達成していたのだが、日数を数えている者はいなかった。誰ひとり、当の断食芸人さえも、現時点でどれほどの記録を達成したのか把握していなかった。彼の心は重たくなった。

"A Hunger Artist"
Franz Kafka (Translated by Ian Johnston)

A small obstacle, at any rate, a constantly diminishing obstacle. People got used to the strange notion that in these times they would want to pay attention to a hunger artist, and with this habitual awareness the judgment on him was pronounced. He might fast as well as he could — and he did — but nothing could save him any more. People went straight past him. Try to explain the art of fasting to anyone! If someone doesn't feel it, then he cannot be made to understand it. The beautiful signs became dirty and illegible. People tore them down, and no one thought of replacing them. The small table with the number of days the fasting had lasted, which early on had been carefully renewed every day, remained unchanged for a long time, for after the first weeks the staff grew tired of even this small task. And so the hunger artist kept fasting on and on, as he once had dreamed about in earlier times, and he had no difficulty succeeding in achieving what he had predicted back then, but no one was counting the days — no one, not even the hunger artist himself, knew how great his achievement was by this point, and his heart grew heavy.

天職は祝福か、それとも呪いか？

檻《おり》に入って断食を見世物にする芸人は、十九世紀から二十世紀のはじめ頃までヨーロッパに多数実在したという。ここに登場するのは、断食芸の人気が衰えた時代の断食芸人である。彼は相棒の興行師と組んで、各地をめぐって興業していた。彼にはたぐいまれな断食能力があり、努力しなくても断食をはてしなく続けることができたのだが、四十日を過ぎると見物客が飽きてしまうと判断した興行師は毎回、四十日で断食をやめさせた。

断食芸人はそれが不満で、いつの日か思う存分断食を続けて、世間をあっと言わせたいと願っていた。断食芸の人気が急落しているのを承知していながら、彼はついに長年のパートナーと袂《たもと》を分かち、大きなサーカス団に傭《やと》われることになる。彼の檻は、動物小屋が並んだ区画に近い通路に設置された。サーカスの幕間《まくあい》に動物を見に来る観客たちに断食も見てもらおうという目論見だったが、断食芸人の檻に目を留める観客はほとんどいなかった。

引用したのは、通路の邪魔者になってしまった断食芸人の様子である。念願叶って前代未聞の断食を続けているのに、皮肉にも誰にも注目してもらえず、断食日数の記録さえうやむやになってしまっている。この男は孤高の求道者なのか、それとも自己満足に陥っただけの似非《えせ》表現者なのか？

短編小説「断食芸人」の結末までたどりつくと、長いこと放置されていた檻の中で、藁《わら》にまみれた断食芸人が発見される。男は人知れず断食を続けていたのだ。断食し続けた理由を問われた彼は、「おいしく食べられるものを見つけられなかったからです。信じてほしいのですが、自分に合った食物を見つけられれば、わたしだって見世物なんかやめて、あなた方と同じように、心ゆくまで食べたでしょうよ」と答えて死んでいく。

カフカが晩年に書いた本作はしばしば、作者本人が人生で最優先した「書くこと」を「断食」に置き換えて描いたものだと解釈されてきた。禁欲を貫き、生きることの快楽をなげうって天職に身を委ねる生き方は、人間にとって祝福なのか、呪いなのかを読者に考えさせる一篇である。

英訳者のイアン・ジョンストン（一九三八〜）はカナダのバンクーバー・アイランド大学で教鞭をとったひと。本英訳はパブリックドメインの作品としてネット上で公開されている。

ウィリアム・カーロス・ウィリアムズ「ちょっとひとこと」

食べちゃったんだ
プラムをいくつか
アイスボックスに
入ってたやつ

あれって
たぶん君が
朝食のために
とっておいたんだよね

ごめん
すごくおいしかった
あまくって
ひんやりしてた

“This Is Just to Say”
William Carlos Williams

I have eaten
the plums
that were in
the icebox

and which
you were probably
saving
for breakfast

Forgive me
they were delicious
so sweet
and so cold

つまみ食いだからおいしい！

つまみ食いはおいしい。後ろめたさが極上のソースになるから。この詩には、アイスボックス（＝氷塊で冷やす方式の、昔の冷蔵庫）から出して食べたプラムのジューシーな味わいがあふれんばかりにつまっている。

極端に行が短く、句読点もなく、強弱のリズムも脚韻も整えていない詩行を連ねたこの詩が奏でるのは、純然たる口語の音楽。キッチンのテーブル上に置かれた走り書きのメモをそのまま活字にしたかのような作品である。〈つまみ食いを描くのに韻律はいらない、だってこの詩じたいがつまみ食いみたいな即興詩なんだから〉とでも言わんばかりの本作を読んだぼくたちは、果実によく似た口語の新鮮な魅力に気づかされる。なるほど、詩とは発見の芸術なのだ。

小児科・産婦人科の開業医だったウィリアムズの短詩は散歩写真か、スマホで撮ったショートムービーを思わせる軽みが特徴である。一九三四年に刊行された詩集に収録されていると知ったら、時代を先取りする感覚の鋭さに驚くひとが多いだろう。

本書に収録したイギリスの詩――たとえばシェイクスピアの「ソネット18番」（〈I　ことば

と沈黙〉参照〉——を今一度読み返してみてほしい。強弱が織りなすリズムと脚韻をたくみにコントロールして、朗々と歌い上げるのが伝統的な詩というものだ。歌舞伎のセリフ回しや、短歌や俳句が奏でる七五調と似ていないでもない形式的な音楽性が持ち味で、内容的には、ギリシア神話や聖書への目くばせも加えれば完璧な詩ができあがる。

ところが「ちょっとひとこと」を読んでみると、伝統的な音楽性も神話への言及も皆無。見えているものがすべてで、隠喩も象徴も教訓もない。拾ってきたオブジェをごろんと投げ出すように、ないない尽くしの詩を書いてみせることで、ウィリアムズは、アメリカらしい詩——ようするにイギリスらしくない詩——を提示してみせたのだ。

伝統や歴史から自由になるためにそれらを否定して、逃走する。そこまでならば何とかできそうだが、否定したものに拮抗する新しさを創造するのは並大抵のことではない。ウィリアムズはそれを成し遂げた。軽い即興詩のように見せてはいるものの、ここにたどりつくまでの道程は大変だっただろうな、としみじみ思う。プロセスを全部隠して、最終結果だけをぽんと出してみせるのが、よい芸術作品の必須条件である。

Narrative Prose

アーネスト・ヘミングウェイ『老人と海』

三度目に巡ってきたとき、老人ははじめて魚を見た。

そいつは最初、暗い影だったのだが、船の下を通り過ぎるのにずいぶん長くかかったので、長すぎると思った。

「変だぞ」と彼は言った。「こんなにでかい魚がいるはずはない」

ところがそいつはそれほど巨大で、一巡りした締めくくりに、三十ヤードしか離れていないところに浮上したので、尾びれが海面から出るのが見えた。青黒い海から、長柄の大鎌の刃よりも高々と突き立ったそれは、ごく薄い紫色だった。尾びれが後ろへ傾いて、その魚が海面のすぐ下を泳いでいくあいだに、魚の巨体と、その胴体に何本か帯を締めたような紫の縞模様が見えた。背びれはたたみ、左右の巨大な胸びれは広げていた。

今回の一巡りで老人には魚の目が見えた。灰色のコバンザメが二匹、大魚の周囲を泳いでいるのも見えた。二匹は大魚に密着していた。そうかと思えばすいっと離れた。そしてまた、魚影に隠れて楽々と泳いだ。どちらも三フィートを超える長さで、速力を上げるときにはウナギのように身をくねらせて泳いでいた。

The Old Man and the Sea
Ernest Hemingway

It was on the third turn that he saw the fish first.

He saw him first as a dark shadow that took so long to pass under the boat that he could not believe its length.

"No," he said. "He can't be that big."

But he was that big and at the end of this circle he came to the surface only thirty yards away and the man saw his tail out of water. It was higher than a big scythe blade and a very pale lavender above the dark blue water. It raked back and as the fish swam just below the surface the old man could see his huge bulk and the purple stripes that banded him. His dorsal fin was down and his huge pectorals were spread wide.

On this circle the old man could see the fish's eye and the two gray sucking fish that swam around him. Sometimes they attached themselves to him. Sometimes they darted off. Sometimes they would swim easily in his shadow. They were each over three feet long and when they swam fast they lashed their whole bodies like eels.

決闘の相手は誰か？

老いた漁師サンティアゴは運に見放されて、八十五日間も不漁が続いていた。それでも諦めずにカリブ海の大海原へひとり小舟で出た。二日目、長いロープの先につけた餌に超大物が食いつく。小舟よりも大きなカジキである。引用した場面は、ロープを引きながら輪を描いて泳ぐカジキが三度目に、小舟の近くにあらわれるところだ。

サンティアゴはやがて首尾よくカジキを仕留め、十八フィートもあるその獲物を小舟の横に括り付ける。ところが三日目には、アオザメを皮切りにサメが次々に襲ってきて、カジキの肉を食い破っていく。サンティアゴはナイフや棍棒でサメどもを撃退するのだが、四日目の夜明け前に港へ戻ったときには、カジキは骨だけになっている。

中編小説『老人と海』の筋書きはいたってシンプルで、分量も多くないから、一気に読み上げることができる。だが読者はいったん読み終えた後、物語の〈意味〉を探りたくなるかもしれない。

カジキは、サメは、そもそもサンティアゴは、何かの象徴か、寓意的な意味を帯びているのだろうか？　この小説では自然と人間が敵対しているのだろうか？　自然は人間の外にあるのか、内側にあるのか？　決闘の相手は誰か？　老人は何か（あるいは誰か）に負けたのか？　陸へ戻った彼の思いは？　いや、そもそもこの物語に〈意味〉はあるのか？

本作の文章はそうした議論には一切踏み込まず、贅肉《ぜいにく》を極端にそぎ落としながら、事物の外面をひたすらたどっていく。「ハードボイルド」と呼ばれる骨太の文体を氷山にたとえ、教養人ぶるイギリスの同時代の書き手を揶揄《やゆ》しながら、作者自身が次のように解説している――「氷山の動きの持つ威厳は、水面に表われている八分の一によるものだ。分らぬからといって省略すると、作品の中に空白が出来る。書くことの深刻さをほとんど理解することなしに、自分が正式の教育を受けているとか、教養があるとか、育ちがいいとか見せたがる作家は、たんなるお喋りの気取屋でしかない。」（佐伯彰一・宮本陽吉訳『午後の死』〔『ヘミングウェイ全集5』三笠書房、一九七四年、二九九～三〇〇ページ〕）。

出しゃばらず、ごまかさず、感傷を排した文体のおかげでヘミングウェイの小説は幅広い解釈を呼び込み、テクストの賞味期限は長くなる。目の前にどすんと置かれた骨太の物語をどう読むかはぼくたちに任されている。

〈IV　野生と文明〉の余白に

ガブリエル・ガルシア＝マルケス『百年の孤独』

〈IV　野生と文明〉では書物と自然、自然が人間に仕掛ける復讐、衣服と人間をめぐるお談義などを紹介しました。野生と対置される人間の文明の根幹にはことばがあり、ことばの第一の機能は語ることです。

日本語の「語り」は「騙《かた》り」に通じています。打ち解けて語りながら、相手をだますのが「騙り」です。悪意なき「騙り」は文学ですね。いみじくもコールリッジ（「年老いた船乗りの詩」参照）は『文学的自伝』の中で、空想的な物語を読む読者は懐疑心を抑えて、作り話の中へ没入しようとするものだと述べ、その行為を「不信の休止」（suspension of disbelief）と呼びました。

ガブリエル・ガルシア＝マルケス（1928～2014）の長編小説『百年の孤独』（鼓直訳、新潮社、2006年）を読み返すたびに、無自覚のままに「不信の休止」を楽しんでいるのだと思います。原野にマコンドという村を建て、六代にわたって暮らした一族の百年間を描いたこの小説は、極小の文明の興亡記として読めそうです。

要約が難しく、筋書きをすぐに忘れてしまうせいで、ぼくは何度読んでも本作を読了できないのですが、当てずっぽうに本を開いて、ホットチョコレートを飲み干すと体が地面から浮き上がったり、死者の血が通りの向かいの部屋まで延々と流れたり、不眠症のせいで記憶が消えたり、死者を悼む黄色い小花がひと晩中町に降り注いだりする挿話に再会すると、小説にだまされる幸せを感じるのです。

非日常的な出来事を当たり前のこととして描く文学手法を、専門家は「魔術的リアリズム」と呼びます。現代日本の小説にも『百年の孤独』の想像力のＤＮＡを引き継ぐ作品がいくつもありますが、「赤朽葉《あかくちば》万葉《まんよう》が空を飛ぶ男を見たのは、十歳になったある夏のことだった」（創元推理文庫、2010年、11ページ）とはじまる桜庭一樹の『赤朽葉家の伝説』は、無人島へ持っていきたくなる一冊です。

V

ここと彼方

Narrative Poem

作者不明「漁師少年浦島」（『万葉集』巻九より）

でも少年の生まれ故郷の村はどこ？

　浜辺には見たこともない家ばかり。

母さんが住む家はどこ？

　右も左も知らない家々。


「留守にしたのはわずか三年」

　驚き悲しむ少年が叫ぶ。

「子ども時代の家は消えたか？

　竹垣はもうあとかたもない？

乙女がくれたみやげの小箱を
　今思い切って開けてみようか、
もしかして、俺の家と懐かしい村が
　昔の姿で現れるかもしれないぞ」

"The Fisher Boy Urashima"
Anon. **(Translated by Basil Hall Chamberlain)**

But where is his native hamlet?
　Strange hamlets line the strand.
Where is his mother's cottage?
　Strange cots rise on either hand.

"What, in three short years since I left it,"
　He cries in his wonder sore,
"Has the home of my childhood vanished?
　Is the bamboo fence no more?

Perchance if I open the casket
　Which the maiden gave to me,
My home and the dear old village
　Will come back as they used to be."

(From the *Man'yōshū*, Volume 9)

物語歌のインパクト

これは「水江《みづのえ》の浦島の子を詠める一首」と題された長歌（『万葉集』巻九）をバジル・ホール・チェンバレン（Ⅱ『古事記』参照）が英訳したもの。この長歌は、『日本書紀』と『丹後国風土記』の逸文《いつぶん》にある「浦島子」の散文物語を歌語りにした作。原話は丹後地方に伝承された物語だが、大坂の住吉の浜を眺めながら、語り手が歌って聞かせる趣向になっている。

後の世に数限りなく語り直されることになる物語の原型を、チェンバレンは感傷的なバラッドに仕立て直した。引用したのは、二行目と四行目に脚韻を踏む四行連を十五連連ねた英訳の後半部分、第九連から十一連まで。バラッドというのはイングランド、スコットランド、アイルランドなどで古来歌われてきた物語歌で、四行連を連ねていく民謡である。怪異譚、恋愛悲話、事件や事故を物語にしたものなどがあり、古い歌は作者不明だが、近代になると新作の歌詞を印刷した大判の紙を路上で販売したりもした。メロディーは人口に膾炙《かいしゃ》したものを流用して、多くの場合、替え歌にして歌われた（Ⅱ「その血はなんだい？」とⅣ「年老いた船乗りの詩」を参照）。

チェンバレン訳の特徴は、日本古代の怪異譚で、故郷喪失や恋愛悲話の要素も含む漁師少年の物語を英語民謡に置き換え、英訳者自身が生きたヴィクトリア朝時代特有の上品でセンチメンタルな味付けを施したところにある。

ところで、「浦島子」物語には神話的な普遍性がある。海難事故を生き延びた船乗りが長い年月の後に故郷へ帰ったら、すべてが変化して居場所がなくなっていたという話は古今東西にあり、たとえばアイルランドには「浦島子」物語にそっくりな「オシーンの放浪」という物語が伝承されていて、散文や詩の形でさまざまに語り直されてきた。浦島太郎とオシーンの物語はそれぞれ独自に語り継がれたもので、相互に影響関係は認められないけれど、物語歌に仕立てられ、歌い語られたときの強いインパクトには共通点がある。望郷の念、故郷の喪失、幻滅や孤独感などの感情が、人間の魂の深いところに揺さぶりをかけるせいだろう。

英訳部分に相当する『万葉集』の原文を引用しておく。朗読して、音楽性の違いを楽しんでいただきたい――「墨吉《すみのえ》に　還り来《きた》りて　家見れど　家も見かねて　里見れど　里も見かねて　恠《あや》しみと　そこに思はく　家ゆ出でて　三歳《みとせ》の間《ほど》に　垣も無く　家滅《う》せめやと　この箱を　開きて見てば　もとの如《ごと》　家はあらむと」（『万葉集　全訳注原文付（二）』中西進、講談社文庫、一九八〇年、二六二ページ）。

袁枚「ふとしたときに」

書物を開けば、昔のひとびとに出会う。
町を歩いて出会うのは、今のひとびとだ。
昔のひとびと！　彼らの骨は今や土塊《つちくれ》。
でも彼らが残した感想となら親しくなれる。
今のひとびとは僕らの仲間であるはずなのに、
おしゃべりを聞くうちに、蠟をかじっている気分！
並みの連中につきあわされるくらいなら、
丸太ん棒や石ころと暮らしたほうがずっとましだ。
時代に縛られる必要はない、ふとそう気づいて救われた。
読んでいる書物の時代こそ、僕らのまことの時代なのだ。

"Chance Stanza"
Yuan Mei

If one opens a book, one meets the men of old;
If one goes into the street, one meets the people of today.
The men of old! Their bones are turned to dust;
It can only be with their feelings that one makes friends.
The people of today are of one's own kind,
But to hear their talk is like chewing a candle!
I had far rather live with stocks and stones
Than spend my time with ordinary people.
Fortunately one need not belong to one's own time;
One's real date is the date of the books one reads!

真実を語るために嘘をつくひと

書物を読むことの効用を歌い上げた詩である。昔のひとびとが綴った書物との幸せな出会いは読み手を解放する。日常生活が退屈だったり居心地が悪かったりしても、書物の中に逃げ込んで、その内側の世界でよりよく擬似的に生きられるならば、人生はきっと充実したものになる。書物によって解き放たれた読書人の精神は、時空を越えて生きるのだ……。

この主張はべつだん新奇なものではない。それゆえ古くもならない。この詩は「ふとしたときに」（原題は「偶然作」）と題された漢詩十三首の連作のうちの第七首。作者は十八世紀の中国の詩人ユアン・メイ（袁枚《えんばい》）、英訳したのは『源氏物語』の流麗な英訳で名高いイギリスの日本学者アーサー・ウェイリー（一八八九～一九六六）である。韻律のやかましい漢詩が脚韻を踏まない自由律の英詩に訳されているので、日本語に翻訳しても時代や文化を越えている感じになる。

この英訳はウェイリーが晩年に書いた評伝『ユアン・メイ　十八世紀中国に生きた詩人』に収録されているのだが、この詩を引用したあとに著者は、この詩はたいそう「象牙の塔」っぽくて好古趣味的だけれど、本作の内容はたまたまある瞬間に思いついたことを描いているに過ぎないのであって、ユアン・メイ本人は同時代の詩に大きな関心を持ち、同時代の詩人たちを誰よりもはげました、と解説している。ウェイリーはようするに、この詩の内容は作者本人の生き方を正直に描いているわけではないと言いたいのだ。

読者の皆さんはもしかして、人殺しの話を書いたりする小説家は嘘をつくけれど、喜怒哀楽や日々の感興を歌う抒情詩人はとても正直で、実際にあったことしか書かないと思ってはいないだろうか？

詩人が正直であるというのは半分本当で、半分は嘘だと思う。というのも、生活者としての詩人がその時その時に感じる気持ちと、彼または彼女が詩の形で読者に伝えようとする真実とが一致するとは限らないからである。詩人も小説家と同じように、自分が信じている真実を描こうとして詩を書く。だが真実を伝えようとすればするほど、工夫を重ねたことばの表現には嘘（とか比喩とか飾りとか）が当然混入してくる。こうしたレトリックが悪用されれば詐欺師のことばになってしまうだろう。真実を裏切るまいとする、善き魂の持ち主がレトリックを駆使して書いたものだけが、詩になるのだ。

ウィリアム・ブレイク「愛の園」

わたしは愛の園へ行って、
見たことがないものを見た。
かつて遊び慣れていた芝生の
真ん中に礼拝堂が建っていたのだ。

礼拝堂の門は閉じられ、扉には
〈汝、するなかれ〉との文字。
そこでわたしは、かぐわしい花々が
咲く、愛の園へ向かった。

だが見れば、そこは墓場で、
花の代わりにあまたの墓石。
黒衣の司祭たちが巡回しながら、
わたしの喜びと願いを茨《いばら》で縛っていた。

“The Garden of Love”
William Blake

I went to the Garden of Love,
And saw what I never had seen:
A Chapel was built in the midst,
Where I used to play on the green.

And the gates of this Chapel were shut,
And ‘Thou shalt not’ writ over the door;
So I turn’d to the Garden of Love,
That so many sweet flowers bore.

And I saw it was filled with graves,
And tomb-stones where flowers should be:
And Priests in black gowns, were walking their rounds,
And binding with briars, my joys & desires.

無垢な光から経験の泥の中へ

かぐわしい花々が咲き乱れる空き地で遊ぼうと思って、しばらくぶりに行ってみたら、花はどこへやら、いかめしい礼拝堂と墓場に変わっていたという詩である。タイトルは「愛の園」。子どもの頃遊び慣れた空き地も、死んだ人間を埋葬してくれる墓地つきの教会も、「愛の園」であるはずだが、見た目も内実もほとんど正反対である。これはどういうことなのか？

この詩は『無垢と経験の歌』という二部構成の詩集の、『経験の歌』のセクションに収録された一篇である。こう言えばもうわかっていただけるだろう。ここに歌われているのは、子どもから大人への不可逆的な成長——あるいは、無垢な光にあふれた子ども世界から、経験の泥にまみれた大人世界への道程——なのだ。

もう一度、本文をよく読んでみると、門を閉めて来訪者を拒む礼拝堂の扉には〈汝、するなかれ〉と書いてある。子どもたちは空き地で何をして遊んでも叱られなかった。自然や宇宙は、子どもたちを大らかな〈愛〉で見守っていたからだ。ところが、礼拝堂と司祭をよりどころとする大人の世界では禁戒や規律を守ることが要求され、規範の厳守こそが神や社会と〈愛〉の関係を結ぶことになるのだと教えられる。

それゆえ、この詩の最終行を見ると、「わたし」が子ども時代から持ち続けていた「喜びと願い」——どちらも人間の生得的な衝動だ——は宗教の名の下に束縛を受けている。この詩に作者がつけた挿絵を見ると、ふたりの子どもが司祭から祈りの仕方を習っている場面が描かれ、絵の下端にはかれらの衝動を縛る「茨《いばら》」が見える。司祭ははやくも子どもたちを、〈経験〉の世界へ導こうとしているのだ。

本作の作者ウィリアム・ブレイクの本業は彫版師で、磁器製品のカタログ図版などを制作するのが仕事だった。彼は書きためた詩を自分自身の手書き文字でエッチングに起こし、余白に挿絵をつけて印刷し、刷り上がったシートに水彩絵具で手彩色したものを綴じて、少部数の彩飾印刷詩集として販売したのである。四十五編の詩を収めた『無垢と経験の歌』は、五十四枚の詩画シートから成り立っている。ネット上で実物の図版を探してみてほしい。人間存在の奥底を見通したブレイクの視線が窺えると思う。

Narrative Prose

ニコライ・ゴーゴリ「外套」

彼は自分自身の人生の苦しさを嘆いただろうか？——彼の意識は混濁したままだったので、われわれにはわからない。ただ、奇妙さを増していく幻影が次々にあらわれたのは確かである。ペトローヴィチの姿が見えたので、強盗捕まえ器がついた外套《がいとう》を注文した。強盗たちがいつもベッドの下にいるように思えたからだ。それから、ひっきりなしに、下宿屋のおかみさんに大声で呼びかけて、上掛けの下にいる強盗をつまみ出してくれるよう頼んだ。さらには、新しい外套があるのに、なぜ古いやつが目の前に掛けてあるのか尋ねた。その次には、例のお偉方の真ん前にたたずむ自分自身を思い浮かべて、完膚《かんぷ》なき叱責《しっせき》を耳にしながら、「お許し下さい、閣下！」と懇望《こんもう》するのだった。だがついに彼は悪態をつきはじめた。その言葉があまりに恐ろしかったので、年老いたおかみさんは胸の前で十字を切った。そんな言葉が彼の口から出るのを聞いたのははじめてだったし、それらの言葉が「閣下」の直後に続いて出たからだ。それから先、彼はじつにめちゃくちゃなことを口走り、言葉は何ひとつ意味をなさなかった。はっきりしていたのは、つじつまが合わない彼の言葉と思念がすべてひとつのもの、すなわち彼の外套の周辺で行きつ戻りつしていたということである。

かくしてついに、かわいそうなアカーキー・アカーキエヴィチは息絶えた。

“The Overcoat”
Nikolai Gogol (Translated by Constance Garnett)

Did he lament the bitterness of his life? —We know not, for he continued in a delirious condition. Visions incessantly appeared to him, each stranger than the other. Now he saw Petrovitch, and ordered him to make a cloak, with some traps for robbers, who seemed to him to be always under the bed; and cried every moment to the landlady to pull one of them from under his coverlet. Then he inquired why his old mantle hung before him when he had a new cloak. Next he fancied that he was standing before the prominent person, listening to a thorough setting-down, and saying, “Forgive me, your excellency!” but at last he began to curse, uttering the most horrible words, so that his aged landlady crossed herself, never in her life having heard anything of the kind from him, the more so as those words followed directly after the words “your excellency.” Later on he talked utter nonsense, of which nothing could be made: all that was evident being, that his incoherent words and thoughts hovered ever about one thing, his cloak.

At length poor Akakiy Akakievitch breathed his last.

不条理を生ききった男

十九世紀前半、ロシアの都ペテルブルグ。厳寒の地である。うだつも風采《ふうさい》も上がらない役所勤めの小男アカーキー・アカーキエヴィチが外套を新調することになった。長年着古した外套を修繕してもらおうとして、仕立て屋のペトローヴィチのところへ持っていったら、痛みがひどくて直しがきかないと言われたからだ。一念発起したアカーキー・アカーキエヴィチは、代金を捻出するために節約を重ねた末に、新しい外套を手に入れる。大喜びの彼はそれを着て、上司が彼の新しい外套を祝うために開いてくれたパーティーへ行く。

ところがその帰り道、夜更けの広場にさしかかったところで、強盗に外套を盗まれてしまう。困り果てたアカーキー・アカーキエヴィチは、諸方面に顔が利くというひとりのお偉方に面会して窮状を訴え、手助けを求めるのだが、場違いな懇望に気分を害したそのお偉方はアカーキー・アカーキエヴィチを完膚なきまでに叱責し、アカーキー・アカーキエヴィチは尻尾を巻いて逃げ帰る。彼は帰宅後、高熱が出て、あえなく死去。死んだ後幽霊となり、お偉方の目の前にあらわれて、外套をよこせと迫ったという。

引用したのは、短編小説「外套」の末尾に近い一節。アカーキー・アカーキエヴィチが高熱のせいで譫妄《せんもう》状態におちいって、悪夢にうなされながら死んでいく場面だ。畳みかけてくるイメージがいちいち急所に嵌まるので、過剰さを見るに見かねて、思わず笑い出したくなるのだが、その笑いは冷えきっていて後味が悪い。小説の最後の最後には皮肉極まるオチまでついているので、通読をおすすめしておく。

終始目立たず無抵抗な男が人生に翻弄されて、悪夢の中以外では抵抗する術もなく死んでいくこの物語は不条理である。元凶は主人公が世界と調和していないこと。世界の意味を取り違えるアカーキー・アカーキエヴィチの言動は滑稽で、それを描く言葉はナンセンスに響く。読者はおそらく、自らの中に潜む小さなアカーキー・アカーキエヴィチの存在に気づき、苦い後味を噛みしめることになるのだが、その苦さは世界と釣り合うほどにずっしりと重い（こうして、アカーキー・アカーキエヴィチといういかめしいような、ふざけたような男の名前を繰り返し唱えるだけで、せつない気分がこみあげてくる）。

英訳はイギリスの名翻訳家コンスタンス・ガーネット（一八六一〜一九四六）によるもの。

Narrative Prose

ルイス・キャロル『不思議の国のアリス』（第7章より）

「ワインをどうぞ」三月ウサギが勧めるような口ぶりで言いました。

アリスはテーブルの上を見渡しましたが、お茶しかありませんでした。「ワインがないようですけど」と彼女は言いました。

「ないんですよ」と三月ウサギ。

「ないものを勧めるのは礼儀正しくないんじゃないかしら」アリスは怒って言いました。

「招かれてもいないのに席に坐ったのこそ、礼儀正しくないですよね」と三月ウサギ。

「あなたたちのテーブルだとは知らなかったのよ」とアリスは言いました。「だって、三人分よりもはるかにたくさんの人数分の用意がしてあるんだもの」

「そろそろ髪切らなきゃね」と帽子屋が言いました。彼は興味津々でアリスを観察していたのですが、はじめて言ったのがこのひとことでした。

「余計なお世話はしない、ってことを学んでね」アリスはぴしゃりと言い返しました。「とても失礼よ」

それを聞いた帽子屋は両目をまんまるにしました。でも口を開いていったことばは、「カラスが机と似てるのはなーんでか?」でした。

Alice's Adventures in Wonderland
Lewis Carroll

"Have some wine," the March Hare said in an encouraging tone.

Alice looked all round the table, but there was nothing on it but tea. "I don't see any wine," she remarked.

"There isn't any," said the March Hare.

"Then it wasn't very civil of you to offer it," said Alice angrily.

"It wasn't very civil of you to sit down without being invited," said the March Hare.

"I didn't know it was *your* table," said Alice: "it's laid for a great many more than three."

"Your hair wants cutting," said the Hatter. He had been looking at Alice for some time with great curiosity, and this was his first speech.

"You should learn not to make personal remarks," Alice said with some severity: "It's very rude."

The Hatter opened his eyes very wide on hearing this; but all he *said* was, "Why is a raven like a writing-desk?"

(From Chapter VII)

ことばの国で迷子になった

五月のイングランド、暑い日の物語。土手の上で本を読むお姉さんの隣に坐っていた少女アリスは暇を持てあましていました。すぐそばを駆け抜けた白ウサギを追いかけていくと、生け垣の下の巣穴へ飛びこんだので、アリスも飛びこんでいくと中は不思議の国でした……。

『不思議の国のアリス』はことばでできた、ローラーコースターみたいな物語である。アリスの体は大きくなったり小さくなったりし、自分が流した涙の池にはまったり、へんてこなキャラクターたちに出会ってピンチに陥ったり、かれらとの交友を楽しんだりする。かれらが語る物語や楽しむゲームは、語呂合わせや勘所《かんどころ》をわざとずらした言語遊戯《ゆうぎ》の連続で、かれらが暗《あん》誦《しょう》する詩や歌の文句は、流行歌や有名な詩などのパロディになっている。

引用したのは、午後六時で時が止まった木蔭でお茶会が永遠に続いているテーブルに、アリスが紛れ込んだ場面。三月ウサギは'as mad as a March hare'（＝三月の繁殖期のウサギのように狂気じみた）という慣用句から生まれたキャラで、帽子屋は'as mad as a hatter'（＝まったく気が狂って、ひどく怒って）という慣用句から生まれたキャラである。引用部分には出てこないけれど、ふたりのあいだでヤマネ（dormouse＝英語では「眠りネズミ」の意味）が眠っていて、クッション代わりに使われている。

引用の最後の部分で、アリスに非礼を指摘された帽子屋が苦し紛れに謎々を繰り出すのだが、じつはこの謎々には答えがない。謎々が大好きなアリスは答えを考えはじめるのだが、ウサギと帽子屋が屁理屈《へりくつ》をこねて話題をそらし、物語ははるか彼方へ逸れていく。置き去りにされた「カラスと机」問題についてどう答えるかはぼくたち読者に任されている（のだが、いちいち答える必要も義理もありはしない）。

不思議なことが次々に起きる世界をめぐり歩いたアリスは、ハートの女王がけしかけたトランプの群れに飛びかかられたところではっと目を覚ます。なんとすべては夢だった！　お姉さんに「お茶の時間よ、走って行きなさい、遅れないようにね」と言われたアリスは走り去る。読者は物語の最後に、現実世界へ戻っていくアリスの後ろ姿を見送るのだ。

……と一応は解説をまとめてみたのだが、引用中の帽子屋のひとこと、「そろそろ髪切らなきゃね」がぼくの頭から離れない。このひとことは恐らく誰しも、家族や親しいひとから言われたことがあるのではないかと思うのだけれど、このタイミングでこのセリフをアリスに浴びせた作者のナンセンス力は比類がない。ここを読み返すたびにぼくは笑いころげ、ルイス・キャロルは天才だと叫びたくなる。

Narrative Prose

ブラム・ストーカー『ドラキュラ』（第四章より）

掘り出したばかりの土を詰め込んだ大箱がぜんぶで五十個あり、そのうちのひとつの中に伯爵が横たわっていた！　死んでいたのか、それとも眠っていたのかはわからない。というのも、見開かれた目は動かなかったものの、どんよりした死とは無縁で、両頬は真っ青なのに生命のぬくもりが感じられ、唇はいつも通りに赤かったからだ。とはいえ動く気配は皆無で、脈拍はなく、呼吸は止まり、鼓動もなかった。僕は伯爵の上にかがみ込んで、彼が生きている徴《しるし》を見つけようとしたのだが無駄だった。掘りたての土の匂いは数時間で消えてしまうものだから、彼がここへ来て横たわったのはそれほど前ではないはずだった。木箱の脇にはあちこちに孔《あな》を開けた蓋があった。鍵を身につけているかもしれないと思って探すうちに、死者の目を見てしまった。僕――僕がここにいること――には気づいていないにもかかわらず、その――死者の――瞳の中に強い憎悪が宿っていたので、その場からあわてて逃げ、伯爵の部屋の窓から這い出して、城壁を再びよじ登った。

Dracula
Bram Stoker

There, in one of the great boxes, of which there were fifty in all, on a pile of newly dug earth, lay the Count! He was either dead or asleep, I could not say which – for the eyes were open and stony, but without the glassiness of death – and the cheeks had the warmth of life through all their pallor, and the lips were as red as ever. But there was no sign of movement, no pulse, no breath, no beating of the heart. I bent over him, and tried to find any sign of life, but in vain. He could not have lain there long, for the earthy smell would have passed away in a few hours. By the side of the box was its cover, pierced with holes here and there. I thought he might have the keys on him, but when I went to search I saw the dead eyes, and in them, dead though they were, such a look of hate, though unconscious of me or my presence, that I fled from the place, and leaving the Count's room by the window, crawled again up the castle wall.

(From Chapter IV)

謎が潜むところに手がかりがある

有名な吸血鬼小説『ドラキュラ』の一節。このパラグラフの語り手は、ロンドンからルーマニア中部のトランシルヴァニア地方にあるドラキュラ城へはるばるやってきた、新米弁護士のジョナサン・ハーカーである。物語はまだまだ序盤で、ハーカーがドラキュラ伯爵の居室の窓から忍び込み、螺旋《らせん》階段を下っていくと地下墓所がある。彼はそこで、大きな木箱の中で休んでいるドラキュラを発見するのだ。

横たわっているドラキュラ伯爵は生死不明に見える。吸血鬼は生きていないのだが、死んでもいない。未知の病にくわしいヴァン・ヘルシング教授はこの状態を「不死」(Un-Dead)と呼ぶ。ヘルシングによれば、「不死」とはひとつの呪いであり、死ぬことができなくなった「不死者」(吸血鬼)たちは「新しい犠牲者を増やし、幾世代にもわたって世界に悪を増殖させていかなければならない」。

小説の中盤、ハーカーの婚約者ミーナの親友であるルーシーは、ロンドンへ乗り込んできたドラキュラ伯爵に血を吸われた結果、「不死者」になってしまう。悪の増殖を防ぐため、ヘルシングの指示によって、眠っているようにしか見えないルーシーの体に残虐な処置が施される。ナイフと杭によって真の死をもたらすことはルーシーにかかった呪いの解除であり、彼女の魂を解放することにつながるのだという。だがこの残虐さはヴィクトリア朝に特有な「女性嫌悪症」を暗示しているという解釈がある。さらには、十九世紀末に出たこの小説に「侵略恐怖」「ユダヤ人恐怖」「瘴気《しょうき》恐怖と細菌恐怖」などの兆候を読みとる研究もある（これらの論考については丹治愛著『ドラキュラの世紀末——ヴィクトリア朝外国恐怖症《ゼノフォービア》の文化研究』（東京大学出版会、一九九七年）を参照のこと）。遠方からやって来たドラキュラ伯爵という謎の人物は、大英帝国に年来積み重なっていた恐怖が形象化したものだったと言えるのかもしれない。

　ドラキュラ伯爵の人物像と小説の骨組みを解明する手がかりを与えてくれるこの一節には、長大な本作を読み進むさいの杖になってくれそうな、ひとつのヒントが隠されている。「ぜんぶで五十個」の大きな木箱がそれだ。伯爵はロンドンへ乗り込んでくるさいに、土を詰めた五十箱の木箱を船便で運び入れ、それらを市内の各所に隠し置いて、ねぐらとして活用しようと考えている。全編読破に挑むひとは、木箱の行方に目を配りながら読んでいくといい。そうすれば小説の流れが緩慢になったときにも、筋道を見失わずに進んでいけるから。

Narrative Prose

ジョゼフ・コンラッド『闇の奥』（第二章より）

「ずば抜けた才能を持つクルツ氏に会って話を聞けるという、願ってもないチャンスを失ったと思って、俺はがっくりきた。だがもちろん、俺の誤解だった。チャンスは待っていてくれたのだ。もうたくさんっていうくらい話を聞けた。俺が正しかったこともわかった。声のことだ。あのひとは声そのものだった。俺はあのひと、というかあれ、あの声を聞いた。他の声も。皆が皆、声そのもので、あの頃の記憶それじたいがまるで、早口の駄弁の余韻が消え残るみたいに俺につきまとったのだがね、そいつには手を触れることができないんだ。ばかげた、無法な、あさましい、野蛮な、というか、ただただ卑劣で、全く意味をなさない声。いくつもの、いくつもの声、あの女性さえ、今となっては声だ――」

そして彼はじっと黙り込んだ。

Heart of Darkness
Joseph Conrad

"I was cut to the quick at the idea of having lost the inestimable privilege of listening to the gifted Kurtz. Of course I was wrong. The privilege was waiting for me. Oh, yes, I heard more than enough. And I was right, too. A voice. He was very little more than a voice. And I heard — him — it — this voice — other voices — all of them were so little more than voices — and the memory of that time itself lingers around me, impalpable, like a dying vibration of one immense jabber, silly, atrocious, sordid, savage, or simply mean, without any kind of sense. Voices, voices — even the girl herself — now — "

He was silent for a long time.

(From Chapter II)

記憶とは聞き取りにくい声かもしれない

小説『闇の奥』は、ポーランド出身の船乗りマーロウが語る長話を、「わたしたち」が聞くという趣向になっている。ときは日没後、ロンドンからテムズ川をずっと下った河口で潮待ちをするヨットの上で、マーロウは語り出す。その昔、ローマ人がやってきて征服する以前にはロンドンもなく、テムズ川の流域はすべて「闇」だった、と。マーロウはこの話を前置きにして、もうひとつの「闇」へ向かう旅、東アフリカのコンゴ川を遡った体験談を語りはじめる。

一八九〇年代、ベルギー王レオポルド二世の私有地だったコンゴからは、膨大な量の象牙が輸出されて、ヨーロッパに流れ込んだ。植民者の目には「闇の奥」のように見えた、コンゴ川上流の出張所にクルツという有能な差配人がいて、象牙を大量に送り出してくると聞いたマーロウは、クルツに会うために小さな蒸気船に乗り込んで、奥地へ分け入っていく。小説の後半、マーロウはやっとのことでクルツと会見し、クルツは身の上話を縷々語り終えて、「ひと束の書類と一枚の写真」をマーロウに託して死んでいく。

こんなふうに要約すると、『闇の奥』は海洋冒険小説として読めそうだ。だがさらに、その奥がある。この小説には、冒険小説に期待される通俗性からはみだす、曖昧で難解な語り口が目立つ。研究者たちはそこに注目して、本作を二十世紀前半にあらわれる実験的小説作法の先駆と見なした。他方、小説の内容を検討すると、コンラッドは自らがコンゴで見聞した植民地主義者たちの悪行を虚構内に投影して、彼らが「闇の奥」でおこなった暴力的搾取を非難した、とみる評価が大勢を占める。本作は手法と主題の両面において、十九世紀と二十世紀をつなぐ重要な架け橋と見なされている。

さてこれらのことをふまえて、引用文をあらためて読んでみたい。クルツはすでに死んでいるという噂を聞いて、マーロウは落胆したが、結局たっぷり話が聞けたと語る回想。「あのひと」とはクルツのことだ。

いきいきしたリズムを持つこの台詞が語っている主旨は〈出会ったひとびとの記憶は声として残るが、それらの声は消えかけた音の余韻のように響くばかりで、意味が取りにくい〉ということである。記憶と声をめぐる省察、あるいは散文詩とさえ言えそうなこの一節は、モダニズム的な実験小説の手法や、植民地主義批判といった主題とは別種の魅力を放っている。細部の言語表現に焦点を絞り込むと、小説全体から読み取れる文学性とは異質な美が見えてきておもしろい。

なお、引用文中の「あの女性」とは、マーロウがクルツの遺品を後日届けに行った、クルツの婚約者を指している。

ウィリアム・バトラー・イェイツ
「湖の島イニスフリー」

さあ立って行こう、イニスフリーへ行こう、
小さな小屋をあそこに建てよう、枝を編んで粘土で固めて。
豆を植えよう、九うね植えよう、蜜蜂の巣箱も持とう、
あそこで僕は一人暮らし、林の空き地は蜂の羽音。

あそこへ行けば凝りがほぐれて、平和がゆっくり滴《したた》ってくる
朝のとばりが開くときから、コオロギが歌う時間まで。
真夜中の空は微光を放ち、真昼の空は紫に燃え、
夕方の空いっぱいにムネアカヒワが飛び交わす。

さあ立って行こう、夜となく昼となく
湖岸を洗うさざ波が聞こえているから。
都会の街角、灰色の舗道にたたずむ僕の
心臓の真ん中の一番奥で、その音が聞こえているから。

“The Lake Isle of Innisfree”
William Butler Yeats

I will arise and go now, and go to Innisfree,
And a small cabin build there, of clay and wattles made:
Nine bean-rows will I have there, a hive for the honey-bee,
And live alone in the bee-loud glade.

And I shall have some peace there, for peace comes dropping slow,
Dropping from the veils of the morning to where the cricket sings;
There midnight’s all a glimmer, and noon a purple glow,
And evening full of the linnet’s wings.

I will arise and go now, for always night and day
I hear lake water lapping with low sounds by the shore;
While I stand on the roadway, or on the pavements grey,
I hear it in the deep heart’s core.

ノスタルジアから成功の夢へ

この詩が書かれたのは一八八八年十二月、ロンドンで暮らすアイルランドの若い詩人が、アイルランドで暮らす詩友に宛てた長い手紙のしめくくりに記されていた。望郷《ノスタルジア》の念を歌ったこの詩は、英語圏の中等学校でしばしば教えられてきたせいもあって、人口に膾炙《かいしゃ》している。

イニスフリーというのはアイルランド西部の町スライゴーの近くにあるギル湖に浮かぶ、小さな島のこと。語り手はこの島で自給自足の生活をする自分自身を夢想する。作者イェイツは、ロンドンの繁華街のショーウィンドウに小さな噴水が飾られているのを目に留め、そのかすかな水音から田舎の湖を連想したのだという。

イニスフリーという島の名前はアイルランド語で「ヒースの島」を意味するが、英語読みで発音すると「自由な場所」のように聞こえる。そして、イェイツのこの詩が有名になるにつれて、「イニスフリー」は「アイルランド移民の故郷」を示す、非公認の合言葉として使われるようになった。

ハリウッド映画の『静かなる男』（ジョン・フォード監督、一九五二年）では、アメリカへ移民したアイルランド人のボクサーが深い悲しみを抱えて帰郷する村の名前が、「イニスフリー」と名づけられていた。もうひとつのハリウッド映画『ミリオンダラー・ベイビー』（クリント・イーストウッド監督、二〇〇四年）では、「イニスフリー」へ向かう郷愁が一捻りされていた。映画のクライマックスで、アイルランド系アメリカ人でカトリック信徒のトレーナーが、瀕死の女性ボクサー（彼女もアイルランド系である）にこの詩をアイルランド語で朗読して聴かせるのだ。この行為は『静かなる男』へのオマージュであるとともに、故郷へ帰ることの不可能性――あるいは、土地に根ざした言語（＝使用者の減少に歯止めがかからないアイルランド語）が語られる牧歌的な故郷がもはや幻に過ぎないこと――を皮肉にも暗示している。

その一方で、アイルランドの首都ダブリンにある〈アイルランド帰化・移民管理局〉（the Irish Naturalization and Immigration Service）の略称は〈ＩＮＩＳ〉である。「イニッシュ」はアイルランド語で「島」の意味だが、この略称は「湖の島イニスフリー」を連想させる。かつて大勢の移民を送り出す国だったアイルランドは、今や経済が好調になり、成功の夢を抱えた他国の人々が目指す目的地へと変貌した。望郷の念を歌った詩のタイトルやイメージは故国の変化によって変貌をとげ、新たな含意を獲得していくのである。

Narrative Prose

ゾラ・ニール・ハーストン『彼らの目は神を見ていた』（第一章より）

遠くの船は男たちみんなの願いを積んでいる。潮の流れに乗った迎え船に恵まれる男はいる。だがそれ以外の男たちにとって、船は、彼らが諦めて目をそらすまで、水平線上にいつまでも留まっている。船を見つめる男の夢は時の流れによってあざけられ、しまいに消える。男たちの人生とはそういうものだ。

さて、女たちといえば、覚えていたくないことはぜんぶ忘れ、忘れたくないことはもれなくちゃんと覚えておく。夢は真実である。しかるべく行動し、ものごとをおこなうのが女というものだ。

ここに登場するのはひとりの女。死者を埋葬して戻ってきた。枕元と足元に集まった友人に見守られて死んだ病人を、見送ってきたわけではない。濡れそぼった死者、むくみ果てた死者、判決を下すかのように目を見開いたまま急死した者を埋めて戻ってきたところ。

ちょうど日没だったので、戻ってくる彼女を皆が見ていた。すでに去った太陽の足跡が空に残っていた。道端のポーチにひとびとが腰を下ろす頃合いである。話を聞いたり、話したりする時間。一日中、口なく、耳なく、目もない道具みたいに働きづめだったひとたちが坐っていた。

Their Eyes Were Watching God
Zora Neale Hurston

Ships at a distance have every man's wish on board. For some they come in with the tide. For others they sail forever on the horizon, never out of sight, never landing until the Watcher turns his eyes away in resignation, his dreams mocked to death by Time. That is the life of men.

Now, women forget all those things they don't want to remember, and remember everything they don't want to forget. The dream is the truth. Then they act and do things accordingly.

So the beginning of this was a woman and she had come back from burying the dead. Not the dead of sick and ailing with friends at the pillow and the feet. She had come back from the sodden and the bloated; the sudden dead, their eyes flung wide open in judgment.

The people all saw her come because it was sun-down. The sun was gone, but he had left his footprints in the sky. It was the time for sitting on porches beside the road. It was the time to hear things and talk. These sitters had been tongueless, earless, eyeless conveniences all day long.

(From Chapter 1)

ものごとは
やってみなくちゃわからない

二十世紀前半のある年、フロリダの湿地帯をハリケーンが襲い、途方もない被害が出た。命からがら生き延びたひとりの女が水害の犠牲者たちを弔い、運命のいたずらによって殺さなければならなかった夫を埋葬した後、旧友がいるイートンヴィルへ戻ってきた。彼女を迎える町のひとびとは毎日家畜のように働き、夕暮れにはポーチへ出て噂話のやりとりを楽しんでいる。引用したのは、女が旧友フィービーに語る身の上話を綴った長編小説『彼らの目は神を見ていた』の冒頭部分である。

アメリカ合衆国南西部フロリダ州のイートンヴィルは奴隷解放以後、自由を得た黒人たちがはじめて創設した町である。戻ってきた女の名前はジェイニー、彼女の夫ジョディーはこの町の町長だったが、ジェイニーを自分の所有物のように扱う男だった。ジェイニーは夫の死後、年下で愛敬のあるティーケイクと出奔《しゅっぽん》、湿地帯で暮らした末に古巣へ舞い戻ったのだ。

ジェイニーは母親がレイプされた結果生まれた娘である。保守的な祖母に育てられ、祖母の勧めで裕福な農夫と結婚するが、夫はジェイニーを愛さず、労働力と見なしていた。ジェイニーは愛なき結婚を捨て、野心家で年上のジョディーと駆け落ちして、新天地イートンヴィルへ向かう。ジョディーはイートンヴィルの初代町長に就任する切れ者だけれど、若くて美しい妻をトロフィーのように自慢するばかりで、先述のように彼女の日常の自由を束縛する男だった。ジョディーの死後、愛にもとづく本物の結婚を求めて、ジェイニーがティーケイクと出奔したのも無理はない。女性にあてがわれたお仕着せの役割に首を傾げつつ、ジェイニーは傷つきながらもわが道を行く。

彼女の矜持《きょうじ》は小説末尾のセリフに窺える（カッコ内の同義語は引用者による補足）——'It's uh(=a) known fact, Phoeby, you got tuh(=to) *go* there tuh *know* there. Yo' (=Your) papa and yo' mama and nobody else can't tell yuh(=you) and show yuh.'（フィービー、当たり前のことだけど、ある場所を知りたければ、そこへ行くしかないよね。パパとかママとか誰かとかに教えてもらったり、見せてもらえるわけじゃないんだから）。ジェイニーは小説冒頭に提示された、行動によって夢を実現していこうとする「女たち」の姿勢を体現しているのだ。じつに頼もしく、凛としたひとである。

ジョージ・オーウェル『1984年』（第一部、第三章より）

党が言うには、オセアニアはいまだかつてユーラシアと同盟関係になったことはない。だが彼、ウィンストン・スミスは、オセアニアとユーラシアがわずか四年前に同盟を結んでいたのを知っている。しかし、その知識はどこにあるのか？ それは彼の頭の中にしかなくて、じきに消えてしまうものだ。彼以外のすべての人間が、党が押しつける嘘を受け入れたとしたら——あらゆる記録が同じ物語を語ったとしたら——その嘘は歴史として通用し、真実となるだろう。「過去を管理するものが」と党のスローガンは言う。「未来を管理するのであり、現在を管理するものが過去を管理するのである」、と。ところが過去は、変更可能な性質を持っているにもかかわらず、いまだかつて変更されたことがない。今現在、真実であるものごとはすべて、永遠に真実なのだ。理屈は単純である。必要なのは自分自身の記憶に絶え間なく打ち勝つこと。いわば「現実管理《リアリティー・コントロール》」をしているわけだが、ニュースピークではこれを「二重思考《ダブルシンク》」と呼んでいる。

Nineteen Eighty-Four
George Orwell

The Party said that Oceania had never been in alliance with Eurasia. He, Winston Smith, knew that Oceania had been in alliance with Eurasia as short a time as four years ago. But where did that knowledge exist? Only in his own consciousness, which in any case must soon be annihilated. And if all others accepted the lie which the Party imposed – if all records told the same tale – then the lie passed into history and became truth. 'Who controls the past', ran the Party slogan, 'controls the future: who controls the present controls the past'. And yet the past, though of its nature alterable, never had been altered. Whatever was true now was true from everlasting to everlasting. It was quite simple. All that was needed was an unending series of victories over your own memory. 'Reality control', they called it: in Newspeak, 'doublethink'.

(From Part I, Chapter 3)

まっ赤な嘘を真実にする方法

長編小説『1984年』に描かれる反ユートピアは、第二次世界大戦直後の一九四八年に構想されたものだ。勢力が拮抗したオセアニア、ユーラシア、イースタシアの三大超大国がしのぎを削り、互いに同盟を結んだり戦争をしたりし続けている世界。主人公の中年男ウィンストン・スミスはオセアニアの都市ロンドンに暮らし、真理省（The Ministry of Truth）の記録局に勤務している。国家の現状を正当化するために日々過去の記録を書き換えるのが彼の職務である。

オセアニアは「ビッグ・ブラザー」が率いる政党が支配する全体主義国家で、国民の行動はつねに監視されている。公用語である「ニュースピーク」は英語を簡素化したもの。語彙をきりつめるために専門の部署が辞書の改訂をし続けている。単語の数を減らすことによって国民の思考範囲を狭めていき、やがては反政府的な思考ができなくなるようしむけているのだ。

さて、ここまでの背景をふまえて、引用文を読んでいただきたい。ウィンストンが日々おこなっている「過去」の改ざん作業について解説した文章である。改ざんが悪いことだと承知してやり続ければ、その者の精神は低温やけどのような傷を負ってもおかしくないはずだが、「二重思考」（doublethink）の訓練を積めば心は痛まなくなるらしい。

小説の他のところ（第二部、第九章）では、「〈二重思考〉とは互いに矛盾するふたつのことを同時に心に抱き、両方ともに受け入れる力である」と述べられている。さらに続けて、そうした欺瞞をおこなう「過程は意識されていなければならない。さもなければ、十分な正確さをもって遂行されないからである。だが同時にそれは、無意識的でもなければならない。さもないと、欺瞞を感じることによって罪の意識が呼び起こされるからだ」とある。納得できない職務を全うして生きねばならない党員たちがこのスキルを身につけたとき、過去はすみやかに改ざんされ、まっ赤な嘘が真実になるのだろう。

この小説には、どこかの国で遠くない日に現実になっても不思議はなさそうな事態がさらりと描かれている。小説家の想像力の恐ろしい切れ味に舌を巻かずにいられない。

事実、一九七〇年代前半、北アイルランド紛争のさなかに北アイルランド議会が停止され、英国による直接統治がおこなわれていた時期、当地（アルスター）の詩人シェイマス・ヒーニー（一九三九～二〇一三、一九九五年にノーベル文学賞を受賞）はその統治を「恐怖省」という詩に描き、「アルスターは英連邦に属しているが／英国叙情詩の領有権は持たない。／自分で命名したわけではないが、わたしたちを取り巻いていたのは恐怖省だった」と書いている。時として、事実は小説よりも怖ろしい。

尾崎翠「第七官界彷徨」

〈V　ここと彼方〉では現世と異界、子どもの世界と大人の世界、望郷《ノスタルジア》の念などにまつわる話を紹介しました。最後に、読者と文学作品との間の距離について考えてみましょう。

尾崎翠《おさきみどり》（1896～1971）の「第七官界彷徨」（『尾崎翠集成〈上〉』ちくま文庫、2002年）というＳＦめいたタイトルの小説を読んでみたら、ジャンル不明の奇天烈な作品でした。主人公は「小野町子」（≒小野小町）という名前と縮れた赤毛を気にしている「痩《や》せた娘」。分裂病を専門とする精神科医の長兄、コケ類の恋愛（！）を研究している大学生の次兄、コミックオペラを歌うのが好きな音大浪人中の従兄の三人が暮らす家で「炊事係」をするために、「都」へやってきました。

次兄は自室内にこしらえた二十日大根の極小畑に与えるこやしを煮詰め、従兄は町子の髪をハサミで虎刈りにし、長兄は患者さんに恋をします。町子の夢は「第七官」（五官のふたつ先の感覚器官らしいのですが詳細不明）に「ひびくやうな詩」を書くこと。少女漫画を原作にした青春深夜ドラマみたいなこの小説は、1931年の作です。

独特な文体と語彙が輝く本作には地名が書かれていないので、戦前の東京の話だと思って読むうちに、時代や場所を超越した嗅覚の世界に誘い込まれます。「通りを横ぎってバナナの夜店のうしろから向うにはいって行くんだ。少し行くと路の両側が大根畠になっているだろう。するともう遠くの方で鶏小舎の匂いが漂ってくるから（中略）この匂いを目あてに歩けばいいんだ。するとだんだん鶏糞の匂いがはっきりして来て」（上掲書、114～115ページ）と延々続く道案内などを聞いていると、ぼくの内なる「第七官」（？）がうずきだします。

どうやら読者と文学作品がつくり出す〈ここと彼方〉の関係は伸縮自在なのですね。遠い過去や場所を背景とする作品が間近にぐっと迫ってきたり、身近なはずだと思って入りこんだ作品の奥に遥かな世界が広がっていたりするので、ブンガクは驚きの連続です。

作者紹介（掲載順）

ホメロス（前七五〇?〜前七〇〇?）古代ギリシアの叙事詩人。無文字時代の吟遊詩人であったとされるが、実在を疑う説もあり、個人名ではないとする説もある。竪琴を携えた盲目の詩人としてよく表現される。ギリシア連合軍が遠征して小アジアの都市トロイアを攻めた、トロイア戦争を描いた叙事詩『イリアス』と、その続編で、トロイア戦争後、将軍オデュッセウスが故郷イタケーへ凱旋するまでの冒険を描いた叙事詩『オデュッセイア』の作者とされる。ホメロスはこれらふたつの叙事詩を、イオニア（現在のトルコ西岸中央部）方言を主とするギリシア語で口演したという。これら二作は口承文学を創造的に統合した語り物であったらしく、紀元前六世紀頃以降、文字に書き記されて、西洋文学の淵源と見なされてきた。

サッポー（前七世紀〜前六世紀）　古代ギリシアの抒情詩人。エーゲ海の北東部、トルコ沿岸のレスボス島に生まれた。生前から詩人としての評価が高く、「十番目のムーサ」（＝九人姉妹の芸術の女神に次ぐ存在）と称されたが、その生涯はほとんどわかっていない。彼女は多作な詩人で、作品をすべてあわせると一万行ほどあったと言われるが、今に残るのは「アフロディテ頌歌」を除くほぼすべてが断片で、合計六五〇行ほど。同性愛を描いた恋愛詩が美しい。若い娘たちに学芸を教える学校を経営し、ひとり娘がおり、黒髪で小柄な人物で、崖から身を投げて自殺したなどと言われるが、すべて伝説で根拠に乏しい。ルネサンス以降、サッポーは竪琴を携えた姿で絵に描かれ、伝説を潤色した文学作品にも数多く登場してきた。

オマル・ハイヤーム（一〇四八〜一一三一）　イランの詩人、天文学者、数学者。生涯についてはよくわかっていないが、正確な暦の作成や高次方程式の解法に貢献した。アラビア人に支配され、イスラム教が信奉されていた当時のペルシアにあって、彼は科学者としての理性を保ち、世界を非宗教的に捉えていた。生涯妻帯せず、隠遁《いんとん》生活を送った。折に触れて口ずさんだとされる四行詩（ルバーイー）の数々は死後に『ルバイヤート』にまとめられた。版本によって詩の数は異なるが、真作は三〇〇編以内。現世を謳歌し、酒を愛し、今を大切に生きようとする人生観に普遍的な魅力がある。エドワード・フィッツジェラルドの英訳では初版（一八五九）に七五編、第二版（一八六八）には一一〇編が収録されている。

アイルランド語文学（作者不明「嘘つき」参照）　アイルランド語はケルト諸語のひとつ。七世紀から十八世紀頃にかけて、キリスト教修道院の内外で詩や散文作品が多数書かれた。詩人のジョージ・ラッセルによれば、ローマ帝国の支配を受けなかったアイルランドでは、ギリシアとローマを源泉とするヨーロッパ大陸の文化の移入が遅れたせいで哲学と科学が育たず、合理的な説明をしようとする発想に乏しかった。その結果、二極分化が進み、幻想的な想像力が発揮される航海譚や妖精物語と、冷たさと熱情が同居したリアリズムで老女の厭世的な独白を描くような詩が生まれたという。「嘘つき」は後者だろう。

ウィリアム・シェイクスピア（一五六四～一六一六）　イギリスの劇作家、詩人。ストラト＝フォードアポン＝エイヴォン生まれ。ロンドンへ出て劇作をおこない、俳優・劇場経営者としても活動した。現存する戯曲は三十八本あり、ジャンルは喜劇、悲劇、歴史劇と多岐にわたる。成立してまもない近代英語の可能性が最大限に生かされた長ゼリフは弱強五歩《アイアンビック・ペンタミター》格で書かれ、音楽性が豊かである。また、ギリシア・ローマ以来、フランスの演劇にも引き継がれた古典劇のルールである〈三一致の法則（劇中の事件は一日のうちに終結し、同一の場所で起こり、脇筋は禁物とする約束事）〉を無視した、自由闊達な作劇法を確立し、後世に多大な影響を与えた。

　詩人としては、神話と古代ローマ史に取材した二編の物語詩『ヴィーナスとアドニス』『ルークリースの凌辱』が劇場へ足を運ぶ一般大衆とは異なる知識人層に受けた。一五四編の十四行詩を集めた『ソネット集』は一六〇九年に刊行された。一二六番までの詩は美しい青年に愛を捧げた作品群で、一二七番から一五二番までは「黒い女」（高級娼婦か宮廷侍女であったなどの説あり）との愛を歌った作品群である。

エミリー・ディキンソン（一八三〇～八六）　アメリカ合衆国の詩人。東部マサチューセッツ州のピューリタニズムが色濃い町アマストの名家に生まれた。祖父、父ともに弁護士で、祖父はアマスト・アカデミーとアマスト大学の創立者、父は同大学の経理担当理事を務めた。ディキンスンはアマスト・アカデミーを経て、マウント・ホリヨーク女子専門学校に入学したものの一年で退学。学校から強制された信仰告白ができなかったためとの説もある。アマストの実家に戻り、家事手伝いをしながら、家の中に閉じこもるようになる。不幸な恋愛のせいで隠遁生活に入ったとみる説もあるが、詳細は不明。死後、未発表の詩稿が大量に発見され、詩集として出版された。モダニズムの時代以降、斬新なスタイルと内容が反響を呼び、アメリカ現代詩の先駆者と見なされるようになった。

ルイーザ・メイ・オルコット（一八三二～八八）　アメリカ合衆国の小説家。ペンシルベニア州フィラデルフィア近郊の田舎町に生まれ、マサチューセッツ州コンコードで育つ。四人姉妹の次女。父は理想主義的で現実感覚に乏しい哲学者・教育者で、エマソンやソローといった超絶主義者と交友があった。母は社会改革をめざす闘士だったが、家庭内ではよき妻にして母。父が学校経営に失敗したせいで、家族は長年負債と貧困に苦しんだ。オルコットはボストンで一人暮らしをしながら扇情小説を量産し、原稿料で家計を助けながら文筆の腕を上げた。『若草物語』（第一部、一八六八）は出版社から少女小説を依頼されてしぶしぶ書いた作。南北戦争を背景にし、作者の家族の肖像が描き込まれた本作は大成功を収め、続編を書き継いで全四部作となる。オルコットは体調不良を押して父を見舞った後、父の死の二日後に死去した。

ラフカディオ・ハーン（一八五〇～一九〇四）　ギリシア生まれの作家、日本研究家。ギリシア人の母とアイルランド人の父との間に、イオニア海のレフカダ島で生まれた。幼時に、アイルランドで暮らす大叔母に引き取られ、厳格なカトリック系の寄宿学校で教育を受けた。十九歳でアメリカへ渡り放浪、ジャーナリストやフランス文学の翻訳家として糊口《ここう》をしのいだ。三十九歳のときに来日、英語教師として松江の中学校へ赴任、当地の士族の娘小泉セツと結婚して日本に帰化し、小泉八雲と名乗るようになった。ハーンとセツは家族内だけで通じる単純化した日本語で語りあい、その言語を「ヘルンさん言葉」と呼んでいた。その後、熊本での教職をへて東京帝国大学で英文学を教えた。日本各地の風物や民間信仰に取材したエッセイや、民話・怪奇譚を再話した作品集など著書は十冊を越える。『怪談』は死去の年に出版。

ジェイムズ・ジョイス（一八八二〜一九四一）　アイルランドの小説家。ダブリンで十人の兄弟姉妹の長男として生まれ育った。当地の大学を卒業した後はアイルランドを捨ててヨーロッパ大陸へ渡り、パリ、トリエステ、ローマ、チューリッヒに移り住みながら、小説表現の可能性を模索した。とはいえ、ヨーロッパの諸都市は小説には一切登場しない。短編集『ダブリンの人々』（一九一四）、自伝的小説『若い芸術家の肖像』（一九一六）、長編小説『ユリシーズ』（一九二二）の舞台はいずれも、生まれ故郷のダブリンである。『ユリシーズ』について彼は、「ある日突然、現実のダブリンが地球上から消え去ったとしても、わたしの本をもとにして復元できるほどに、この都市の肖像を描き尽くしたい」と語っている。

ソポクレス（前四九六？〜前四〇六）　古代ギリシアの悲劇詩人。年長のアイスキュロス、年下のエウリピデスとともに、文化最盛期のアテナイで活躍した。アテナイの武器製造業者の息子に生まれ、戦乱のさいに将軍として出征したとも伝えられる。長寿に恵まれて一二三編の悲劇を書き、七編が現存する。七十代の作とされる『オイディプス王』は、先王殺しの犯人を捜すうちにオイディプス王自身の出自が明らかになるプロットが秀逸で、アリストテレスは『詩学』において、「悲劇の模範」と評した。『コロノスのオイディプス』はその続編で、盲目になったオイディプスが娘アンティゴネーに付き添われ、放浪した末にコロノスの森へたどり着いて死ぬまでの物語。『アンティゴネー』は、オイディプスの死後テーバイへ戻ったアンティゴネーが主人公で、彼女とテーバイの統治者クレオンとの葛藤が描かれる。

『古事記』（七一二）　日本最古の歴史書。元明天皇の勅命により、官僚、太安万侶《おおのやすまろ》が編纂した。この中の物語の数々は、抜群の記憶力を持つ稗田阿礼《ひえだのあれい》という人物が伝承したものだという。稗田阿礼の性別はあきらかでないが、アマテラスが天岩戸に隠れたとき、岩戸の前で踊ったアメノウズメに連なる家柄の出身とされる。抜群の記憶力を持つ稗田阿礼は二十八歳のときに天武天皇に見出され、歴史を正確に記憶し、必要なときに語って聞かせる係になったという。『古事記』は三巻からなり、天地のはじまりから推古天皇の時代までの歴史がさまざまな物語を通して語られる。物語の途中にしばしば歌が引用され、神の名を列挙したり、天皇の系譜を語るくだりもあって、書きことばに固定される以前の口頭伝承の名残が窺える。

ダニエル・デフォー（一六六〇～一七三一）　イギリスのジャーナリスト、小説家。イングランド国教会信徒ではなく長老派信徒の家に生まれたため、大学入学がかなわず、実学教育を受けた。貿易商や工場経営を試みて繁盛したり破産したりする一方で、社会問題にたいして意見を述べる文章を書いてジャーナリストの先駆となった。国教会の保守派を皮肉ったパンフレットを出版して逮捕されたこともある。一七〇四年には『レヴュー』と題する評論個人誌を創刊し、政府の政策を支援した。小説家としては、複数の航海記や漂流記を参考にして『ロビンソン・クルーソー』（一七一九）を書き、孤島に置き去りにされた男が独力で生き延び、イングランドへ帰国するまでをリアルに描いた。

ヨハン・ヴォルフガング・フォン・ゲーテ（一七四九～一八三二）　ドイツの詩人、小説家、劇作家。フランクフルトの裕福な家に生まれ、大学卒業後、故郷に戻って弁護士を開業するが、本業よりも文学に熱を上げた。知人が恋に絶望して自殺した事件をもとに教養小説『若きウェルテルの悩み』を書き、〈疾風《しっぷう》怒濤《どとう》〉派の代表者と見なされた。二十代後半で中央ドイツの小国家の首都ワイマールに招かれ、宰相に就任したものの四年後、公務を投げ出してイタリアへ向かい、二年ほど旅した後にワイマールへ戻り、終生この地に暮らした。劇作家シラーと出会い、意気投合して盟友となった。ドイツの伝説に取材した戯曲『ファウスト』第一部は一八〇六年に完成、第二部は死の前年にようやく書きあげ、死後に出版された。本作は後世さまざまに潤色されて音楽、文学、美術などに多大な影響を与え続けている。

バラッド（作者不明「その血はなんだい?」参照）　イングランドやスコットランド南部で伝承された物

語歌。四行連を基本とし、聖書の物語を歌にしたものや、ロビン・フッドなどの英雄の事績を語るもの、悲恋、怪異譚を歌う作品などがある。古いものは中世にまで遡ると言われ、近代の移民によって英語圏各地へ伝播した。十八世紀以降、殺人事件などをもとにセンセーショナルな脚色を施し、人口に膾炙したメロディに乗せた替え歌として歌える歌詞を印刷した〈ブロードサイド〉の呼び売りがおこなわれた。コールリッジやワーズワースなどのロマン派詩人は、肉声で歌われる歌と、活字で流通する詩をつなぐバラッドの新しい可能性に注目し、「文学バラッド」と呼ばれる物語詩を試みた。アイルランドで文化ナショナリズムを推進したイェイツ、音楽家のボブ・ディランなどもバラッドの伝統を革新する詩を書いている。

ナサニエル・ホーソーン（一八〇四〜六四）　アメリカ合衆国の小説家。マサチューセッツ州セイラム生まれ。父方は最初に渡ってきたピューリタンにまで遡る家柄で、先祖のひとりはセイラムの魔女裁判の判事をつとめた。メイン州へ移住し、当地の大学で後の詩人ロングフェローや後の大統領フランクリン・ピアスと知り合う一方で、孤独と読書を好む暮らしが身につく。初期には寓意性の強い短編小説を書き、後に『古臭い物語集《トワイス・トールド・テイルズ》』にまとめられた。「ウェイクフィールド」はそのひとつ。ボストンとセイラムの税関に短期間ずつ勤務し、ピアス大統領の時代にはイギリスのリヴァプール領事を務めた。長編小説には、ピューリタン社会を舞台に姦通を描き、罪の問題を考えさせる『緋文字《ひもんじ》』（一八五〇）などがある。

ハーマン・メルヴィル（一八一九〜九一）　アメリカの小説家、詩人。ニューヨーク市生まれ。父母とも名門の出身だが、父親が事業に失敗し、借財を残して死去したため、学業を中途であきらめてさまざまな仕事に就いた。船員として南海を回った経験は『タイピー』（一八四六）をはじめとする小説に題材を与えている。『白鯨』（一八五一）は散文で書かれたアメリカの叙事詩というべき小説で、捕鯨船のエイハブ船長と白鯨モービィ・ディックの壮絶な戦いにいたる多種多彩な語りが、二十世紀のモダニズム的手法を先取りしていた。「バートルビー」は『白鯨』に続く時期に書かれた作で、雑誌に初出したときには「代書人バートルビー　ウォール街の物語」というタイトルだった。メルヴィルは四十代後半になってから二ューヨーク税関の検査官に任ぜられ、以後十九年間官吏として勤めあげた。晩年には詩を多く書いた。

ジョン・ミリントン・シング（一八七一～一九〇九）　アイルランドの劇作家。ダブリン生まれ。父は弁護士で、プロテスタントの聖職者を多く輩出した家系。ヴァイオリン奏者やフランス文学研究者を志した後、アイルランド西部のアラン諸島を訪れて、土地に根ざした口承文化に開眼した。若くして病没するまでの短い年月に、アイルランド英語を生かしたセリフ回しが秀逸な戯曲を多数執筆し、W・B・イェイツ、グレゴリー夫人とともにアイルランド演劇運動を推進した。『海へ騎りゆく者たち』は一九〇三年刊、一九〇四年初演。紀行文『アラン島』（一九〇七）でも知られる。

スティーヴィー・スミス（一九〇二～七一）　イギリスの詩人・小説家。本名はフローレンス・マーガレット・スミス。若い頃、乗馬姿が競馬騎手スティーヴ・ドナヒューに似ていると知人に言われたのをきっかけに、スティーヴィーを名乗るようになった。ヨークシャーのハルに生まれたが、幼いとき、父親が家族を捨て、母親は病気がちだったので、ロンドン北郊のパーマーズ・グリーンに移住、母親の姉マッジ・スピアーと同居した。スティーヴィーは自立心の強い伯母を「ライオン」と呼び、生涯にわたって影響を受けた。彼女は雑誌出版社に秘書として勤めながら詩や小説を書き続け、勤続三十年をへて、オフィスで自殺未遂したのを契機に退職した。後期の詩集『手を振っていたんじゃなくて、溺れていたんだ』（一九五七）で名声を確立、晩年には〈女王が褒賞する詩の金メダル〉を授与された。

シルヴィア・プラス（一九三二～六三）　アメリカ合衆国の詩人。ボストン生まれ。父はボストン大学の生物学教授だったが、シルヴィアが八歳のときに死去。彼女は後年、記憶の中の抑圧的な父親像に長年苦しめられる。名門スミス・カレッジを卒業後、イギリス留学中に詩人テッド・ヒューズと出会い、結婚。夫婦でボストンへ移住。詩人ロバート・ロウエルの創作セミナーで詩人アン・セクストンに出会い、ふたりの影響を受け、個人的な経験やトラウマをもとにして詩を書きはじめる。かれらは後に「告白詩」派と呼ばれた。三年後、夫婦はロンドンへ移ったが、ヒューズの浮気が原因で別居。プラスはうつや不眠に悩みながら詩を書き続ける。「打ち身」は一九六三年二月四日に書かれ、七日後にプラスはガス・オーブンに頭を入れて自殺。一九八一年に出版された全詩集によりピューリッツァー賞を追贈された。

オウィディウス（前四三～一七？）古代ローマの詩人。裕福な家に生まれ、ローマへ出て修辞学と弁論術をおさめた後、官職についたものの満足できず、文学に転向した。ローマの文学サロンでホラティウスやプロペルティウスなどの有名詩人と知り合い、詩を書きはじめる。恋愛抒情詩を多作し、恋の指南書というべき『恋愛術』『恋愛治療術』を書いた。次に物語詩へと転じて、『変身物語』を書いた。本作は一五巻からなる叙事詩で、混沌たる世界の始原から説き起こし、ギリシア・ローマで語り継がれた変身のテーマ（物語の最後で登場人物が動植物などに姿を変える）を持つ物語を集大成した。老年にいたって皇帝アウグスティヌスの不興を買い、ローマ帝国の辺境へ追放され、黒海沿岸の流刑地で十年間暮らした後、ローマへの帰還が叶わぬまま死去した。

ダンテ・アリギエーリ（一二六五～一三二一）イタリアの詩人。古代ギリシア文学のホメロス、ラテン文学のウェルギリウスと並び称せられる、ヨーロッパ文学最大の叙事詩人である。フィレンツェの小貴族の家に生まれた彼は、早世した恋人ベアトリーチェに捧げた詩文集『新生』（一二九三頃）を書いた後、政争に巻き込まれてフィレンツェを追放され、ついに帰還せぬまま、ラヴェンナで死去した。長年にわたる亡命生活の中で書き継がれた叙事詩『神曲』（一三〇七頃～二一）はカトリシズムの世界観を体現した大著で、後世の文学や美術にはかりしれない影響を与え続けている。

ピエール・ド・ロンサール（一五二四～八五）フランスの詩人。ギリシア・ローマの古典詩にならって詩語としてのフランス語を鍛えようとした詩人グループ、プレイヤード派の中心人物。父親はイタリア文化に惚れ込んだ貴族。ロンサールは十代で難聴となり、軍人となることを諦めて学者への道を志し、ギリシア語とラテン語を勉強して詩を書きはじめた。カサンドル、マリ、エレーヌという女性に宛てた恋愛詩集を次々に出したが、それらの恋愛は自伝的なものではなく、女性名は虚構的な恋愛の焦点であった。「恋人が年老いたとき」は後期の作で、エレーヌに宛てた詩群のひとつ。

ジェイン・オースティン（一七七五〜一八一七） イギリスの小説家。イングランド南部ハンプシャー州の村で教区牧師の娘として生まれ、寄宿学校で教育を受け、十二歳頃から小説を書きはじめた。バースとサウサンプトンで暮らした八年間は想像力が沈滞したが、一八〇九年、生まれた村に近いハンプシャー州チョートンに転居した頃から執筆活動が活発になり、六冊の長編小説を次々に出版、病没する四ヶ月前まで健筆だった。生涯未婚だったものの、いくつかの恋愛経験はあったらしい。『高慢と偏見』（一八一三）は、二十二歳のときに仕上げた小説『第一印象』が後に書き換えられたものである。

メアリー・シェリー（一七九七〜一八五一） イギリスの小説家。父は無神論者で無政府主義思想の先駆者ウィリアム・ゴドウィン、母メアリー・ウルストンクラフトはフェミニズムの先駆者だった。メアリーは十六歳の頃、ロマン派の詩人パーシー・ビッシュ・シェリーと出会い、恋に落ちた。パーシーは妻帯者だったので、パーシーとメアリーは駆け落ちしてヨーロッパを旅した。一八一六年、メアリーが十九歳のとき、ジュネーブ近郊で詩人バイロン、医師のポリドリなどと合流し、皆で暇つぶしに怪奇物語を競作することになった。ポリドリ作の『吸血鬼』（一八一九）とメアリーの『フランケンシュタイン』（パーシーの手が入った初版は一八一八年刊、メアリーによる加筆訂正を経た第三版は一八三一年刊）が現在まで読み継がれている。

エミリー・ブロンテ（一八一八〜四八） イギリスの小説家、詩人。イングランド北部ヨークシャーのハワースという村の牧師館で暮らした。父はアイルランドからイングランドへ移住し、大学を優秀な成績で卒業して、イングランド国教会の牧師になったひと。姉は小説『ジェーン・エア』（一八四七）を書いたシャーロット・ブロンテ。エミリーは三姉妹の次女である。シャーロットとともにブリュッセルの私塾で学んだ以外は、ほとんどハワースを出なかった。三姉妹の詩をあわせて詩集を出版したが反響はなく、小説『嵐が丘』（一八四七）も好評を得られぬまま、結核で死去した。

イワン・セルゲーエヴィチ・ツルゲーネフ（一八一八～八三）　ロシアの詩人、劇作家、小説家。ロシア中部で、零落した貴族の父と、六歳年上で裕福な大地主の母との間に生まれた。父は男前だが優柔不断で浮気者、母は頭脳明晰だが農奴には酷薄で、家庭でも暴君のようだった。ツルゲーネフは大学時代にロマン主義的な詩を書きはじめ、後に劇作を試み、小説に転じた。二十五歳のとき、ペテルブルグへ来たスペイン系のオペラ歌手ポーリーヌ・ヴィヤルドに恋をした。彼女には夫がいたが、ツルゲーネフは以後、彼女の近くに暮らし、生涯の恋人となった。四十二歳のときに出版された中編小説『初恋』（一八六〇）には自伝的な要素が強く、作者は本作をこよなく愛した。長編小説には、農奴解放令の時代を背景にした長編小説『その前夜』（一八六〇）、『父と子』（一八六二）などがある。

ギ・ド・モーパッサン（一八五〇～九三）　フランスの小説家。ノルマンディーの、名ばかりの貴族の家に生まれた。母親の兄がギュスターヴ・フロベールの親友だった縁で、フロベールから小説作法の指導を受けた。二十歳のとき、プロイセン＝フランス戦争に出征し、戦後は役人として勤めながら小説を執筆。三十歳から四十歳までの約十年間に長編小説六編、短編小説集十五冊（約二六〇編を収録）を書いた。ありふれた俗世に潜む真実を摑もうとする姿勢は、田山花袋、島崎藤村をはじめとする明治期日本の自然主義作家たちを虜にした。彼らはモーパッサンを英訳で読んだとされるが、モーパッサンの短編小説を最初に英訳したのはラフカディオ・ハーンである。

F・スコット・フィッツジェラルド（一八九六～一九四〇）　アメリカ合衆国の小説家。中西部ミネソタ州の州都セントポールに生まれ、東部の名門プリンストン大学に進学したが、陸軍士官任用試験に合格したため中退、南部アラバマに駐屯していたときにゼルダ・セイヤーと交際をはじめた。一九二〇年、最初の長編小説『楽園のこちら側』を出版した直後にゼルダと結婚、小説は大ヒットを記録した。若い夫妻は浪費と歓楽をきわめた社交生活を開始、ゼルダは〈ジャズ・エイジ〉を象徴する女性像〈フラッパー〉を体現した。さらに、貧困から身を起こして富豪になった男の孤独を描く長編小説『グレート・ギャツビー』（一九二五）は二十世紀アメリカの神話になった。

エリザベス・ビショップ（一九一一〜七九）アメリカ合衆国の詩人。東部マサチューセッツ州ウスター生まれ。生後八か月で父と死別、五歳のときには精神を病んだ母と生き別れた。カナダのノヴァスコシアの農場で暮らす母方の祖父母のもとで子ども時代を過ごした後、父方の親戚に引き取られた頃にぜんそくを発症し、生涯苦しんだ。ニューヨーク州の名門女子大ヴァッサー大学に在学中、詩友マリアン・ムアに出会う。卒業後も定職には就かず、同性の友人とヨーロッパなどを転々とした後、フロリダに落ち着いた。その後ブラジルに移住して、建築家ロタ・ジ・マセード・スアーリスと暮らした。ロタの自殺後、合衆国へ戻り、ハーバード大学で創作を教えた。

ウィリアム・ワーズワース（一七七〇〜一八五〇）イギリスの詩人。イングランド北西部の湖水地方に生まれ、当地の自然を愛した。幼くして母と父に死に別れ、妹ドロシーとの間に強い愛着関係が育った。ケンブリッジ大学へ進学した後、革命の只中のフランスへ渡って共和主義者となり、熱烈な恋愛をしたが、じきに恐怖政治と化した革命に幻滅した。イングランド各地とウェールズを放浪した末に故郷へ戻り、近所へ移住してきた詩人コールリッジと交友を結び、共著の第一詩集『抒情歌謡集』（初版一七九八、第二版一八〇〇）を出した。以後、妹ドロシーと同居し、後には結婚して家族とともに湖水地方で暮らし、作詩三昧の生活を送った。晩年に桂冠詩人の称号を得、湖水地方に鉄道敷設が計画されたときには自然環境保護を訴えて反対した。死の直後、長年にわたって改稿を重ねた自伝的長編詩『序曲』が出版された。

サミュエル・テイラー・コールリッジ（一七七二～一八三四） イギリスの詩人、批評家、思想家。イングランド南西部の田舎町で教区牧師の末っ子として生まれた。父の死後、牧師になることを期待されたがその道には進まず、ケンブリッジ大学では古典学をおさめたものの、フランス革命に共鳴したり、私生活にごたごたがあったりしたせいで中退した。「年老いた船乗りの詩」は盟友の詩人ワーズワースとの共著で出版した詩集『抒情歌謡集』の冒頭に収録され、この詩集は後に、ロマン主義のイギリス詩を代表する傑作のひとつとみなされるようになった。コールリッジの後半生は思想家としての活動が目立ち、回顧録『文学的自伝』（一八一七）において展開された想像力論は今日も輝きを失っていない。

エドガー・アラン・ポー（一八〇九～四九） アメリカ合衆国の詩人、小説家、批評家。旅役者の子としてボストンに生まれたが、父が失踪、母は病没したために幼くして裕福な養父母に引き取られた。イギリスの寄宿学校を経てアメリカへ戻り、古典語を学び、詩にめざめてヴァージニア大学に入学したが、賭博に手を出した末に養父の信用を失って出奔、ペンで身を立てる生活に入った。幻想的な美を放つ詩、ＳＦ、ホラー、ミステリーなどさまざまなジャンルの先駆けをなす短編小説群を書いて後世に多大な影響を与えた。とりわけ、ボードレールをはじめとするフランス象徴派の詩人たちはポーを絶賛し、谷崎潤一郎、佐藤春夫、江戸川乱歩などもポーから多大な刺激を受けた。

シャルル・ボードレール（一八二一～六七） フランスの詩人、美術評論家。幼少期に父が死去、母は翌年軍人と再婚したが、少年は母への愛ゆえに傷ついた。大学入学資格《バカロレア》試験に合格した後、文学仲間と放蕩無頼の生活をはじめたため、母はボードレールをなかば強制的に南洋航海へ送り出した。旅程の途中で帰国した彼は成人し、父の遺産を相続してパリで暮らした。ところが短期間で巨額を浪費したため、母は息子を準禁治産者とし、財産の管理・処分を禁じた。ボードレールは以後、不十分な生活費を受けながら美術批評を書き、エドガー・アラン・ポーの作品を翻訳し、後に象徴派の先駆として評価される詩集『悪の華』（一八五七）を出版した。放蕩時代に感染した梅毒が悪化し、失語症と半身不随を発症して死去。

ウィリアム・モリス（一八三四〜九六）　イギリスの詩人、美術工芸家、社会主義者。父親は裕福な証券仲買人で、ロンドン近郊の広大な屋敷で育った。オックスフォード大学に入学した直後、生涯の盟友となるエドワード・バーン＝ジョーンズに出会う。ふたりとも聖職者になるつもりだったが、バーン＝ジョーンズは画家になった。モリスは建築家を志したがじきに方向を変え、文学・思想と手仕事・デザインを横断する芸術家になった。新婚の家として〈赤い家〉を建て、その内装を友人たちの協力を得ておこなったのを契機に、ステンドグラス、壁紙、テキスタイル、家具などを製作する会社を設立した。晩年には理想的な書物を美装本として出版する、ケルムスコット・プレスをも立ち上げた。

ウォレス・スティーヴンズ（一八七九〜一九五五）　アメリカ合衆国の詩人。ペンシルベニア州生まれ。コネチカット州ハートフォードの保険会社に弁護士として長年勤務するかたわら、詩を書いた。同僚たちは彼が詩人であることを知らなかったともいわれる。観念を体現したイメージがダンスするかのような彼の詩は、二十世紀前半のモダニズムにおける希有な達成として評価が高い。デビューは遅く、「壺の逸話」が収録された第一詩集『足踏みオルガン』（一九二三）が出版されたのは四十四歳になる誕生日の直前だった。七十六歳でピューリッツァー賞を受賞、同年に死去した。

ヴァージニア・ウルフ（一八八二〜一九四一）　イギリスの小説家、批評家。父親は高名な文芸評論家で、美貌で知られた母親も知識人だった。兄弟はケンブリッジ大学へ進学したが、ウルフは父母と家庭教師によって教育された。十三歳のときに母親が死に、そのショックで心身のバランスを崩した。二十二歳のときに父親が死去した後には窓から投身自殺を企てた。長じてからは兄トウビーの大学時代の友人たちと交遊し、大いに知的な刺激を受けた。三十歳のときに結婚し、夫レナードが精神的に不安定なウルフをよく助けた。四十代の頃、貴族で人気作家だったヴィタ・サックヴィル＝ウェストと同性愛関係になった。彼女が『オーランドー』の主人公のモデルである。この時期に小説の代表作『ダロウェイ夫人』（一九二五）、

『灯台へ』（一九二七）、『波』（一九三一）を書いた。エッセイ『自分だけの部屋』（一九二九）はフェミニズム批評の先駆として知られる。

フランツ・カフカ（一八八三〜一九二四）　ユダヤ系のドイツ語作家。オーストリア＝ハンガリー帝国の属領ボヘミア王国（現在のチェコ）のプラハに生まれ、ドイツ語の学校で教育を受けた。文学好きだったが、実利的な考えを持つ父の希望を受け入れて大学では法学を専攻し、プラハの労働者災害保険協会に就職、官僚組織の末端で官吏として務めるかたわら、余暇に小説を執筆した。ユダヤ人女性フェリーツェ・バウアーと知り合い、二度婚約したが結婚には至らなかった。一九一七年、カフカは結核を発病し、長期療養と職場復帰を繰り返した後、二二年に保険協会を退職した。死の床で短編集『断食芸人』（一九二四）の校正刷を見たと伝えられる。生前に刊行された中編小説『変身』（一九一五）はフランス語に翻訳され、実存主義思想と響き合う不条理文学として読まれた。友人マックス・ブロートの編集により、カフカの死後、長編小説『失踪者』『審判』『城』などが刊行された。

ウィリアム・カーロス・ウィリアムズ（一八八三〜一九六三）　アメリカ合衆国の詩人。ニューヨーク市に近い、ニュージャージー州の小さな町ラザフォードに生まれた。父はイギリスからの移民で西インド諸島育ち、母はプエルトリコ出身、両親は家庭内ではもっぱらスペイン語で会話していた。ペンシルベニア大学で、後に詩人となるエズラ・パウンドに出会い、生涯にわたる交友がはじまる。三十代の頃、ニューヨークに集った前衛的な芸術家や文学者を知り、キュビスム、イマジズムなどの影響を受けた短詩を書きはじめ、「事物を離れて観念はない」という詩的モットーを掲げた。本業は開業医。人生の後半にはニュージャージー州の工業都市パターソンの歴史や地理、さらには個人的な書簡や散文、詩などを組み合わせた長編詩『パターソン』の執筆をはじめ、第五巻まで発表した。

アーネスト・ヘミングウェイ（一八九九〜一九六一）　アメリカ合衆国の小説家。高校までは両親の影響を受けて文武両道の優等生だったが、大学へは進学せず、新聞記者をめざした。第一次世界大戦中のイタリアへ行き、負傷兵を運ぶ自動車運転手となるが重傷を負い、ミラノの病院で手当を受けた。戦争と負傷の体験は長編小説『日はまた昇る』(一九二六)、『武器よさらば』(一九二九)に描かれた。大戦後、新聞特派員としてパリへ行き、モダニズム文学の作家たちと交流し、新聞記者に要求される簡潔な文章表現を応用して小説を書き、「ハードボイルド」な文体を確立した。スペイン内乱の取材からは『誰がために鐘は鳴る』(一九四〇)が生まれた。『老人と海』はキューバのハバナで書かれ、一九五二年に出版。二年後にノーベル文学賞受賞。心身のバランスを崩し、猟銃で自殺した。

「浦島子」物語(作者不明「漁師少年浦島」参照) 浦島太郎の物語の原型と解釈される物語。『日本書紀』、『丹後国風土記』の逸文、『万葉集』(巻第九)に異なるバージョンが収録されている。室町時代の短編物語集『御伽草子《おとぎぞうし》』におさめられた浦島太郎の物語では、太郎が助けた亀が恩返しをするという主題が鮮明になり、近代の学校教科書や唱歌に歌われたバージョンでは教訓性がさらに濃くなるが、奈良時代の「浦《うら》島子《しまのこ》」物語に教訓性は乏しい。『日本書紀』版は短く、浦島子が捕らえた大亀が女に変容し、ふたりで異界へ向かう。『丹後国風土記』版では浦島子が過ごす期間が三年(人間界では三〇〇年)だったと述べられ、亀が変容した女性が浦島子に、タブーをともなった小箱を授ける。『万葉集』版にはこれらの要素に加えて、小箱を開けた浦島子の髪が白くなった、と書かれている。

袁枚《えんばい》(ユアン・メイ)(一七一六~九七) 中国の詩人。幼少時、同居していたおばから物語の喜びを教えられ、書物を読む手ほどきも受けた。六歳のとき、読み書きの勉強を本格的にはじめたが、教わった先生が詩人だった。教科書の余白に書きつけられた先生の詩を目に留めて書きとったときに、生涯続くメモの習慣がついたという。役人になったが三十八歳で引退、「随園」と名づけた庭園のある家に隠遁し、読書と物書き三昧の生活を送り、八十一歳の長寿を全うした。多くの女性たちを愛し、美食を愛したことでも知られ、友人の家でおいしいものをごちそうになると後日、自宅の料理人を遣わして料理法を学ばせたという。そのようにして収集したレシピは著書『随園食単』にまとめられた。

ウィリアム・ブレイク(一七五七〜一八二七) イギリスの詩人、彫版師、画家。ロンドン市内の商家に生まれ、初等学校で読み書きを学んだ後、彫版師に入門して職人になった。幼時から幻想を見る気質があった。失恋の痛手を和らげるために預けられた菜園経営者の娘を好きになって結婚、生涯連れ添った。手作り詩集をこしらえる彩飾印刷の方法は、若くして死んだ末弟ロバートの霊から教示されたという。初期の詩集『無垢と経験の歌』(一七九四)は読みやすいが、じきに神話と寓意に彩られた、預言的な作風に変わる。ブレイクは生前、独自すぎる思想ゆえに狂人扱いされたが、今日では詩と絵画におけるロマン主義の典型的な表現者と見なされている。

ニコライ・ゴーゴリ(一八〇九〜五二) ロシアの小説家、劇作家。ウクライナの小地主の長子として生まれた。中等学校を終え、文学的野心を抱いて首都ペテルブルグへ出たが、挫折。北ドイツのリューベックへ旅した後、下級官吏、女学校教員、大学教員をするがどれも長続きしなかった。ウクライナを舞台にした物語集で世間に認められ、戯曲『検察官』(初演一八三六)が賛否両論の議論を巻き起こしたときには国外へ逃げた。戸籍上は生きていることになっているが実際は死んだ農奴を買い集める男がさまざまな地主達と出会う長編小説『死せる魂』(一八四二)を出版後、またもや国外へ出た。イタリアなどで暮らした後にロシアへ戻り、人生に肯定的な意味を求めてキリスト教に深く帰依したが答えは見つからなかった。生涯独身、女性嫌いだったとされる。断食の末に死去。

ルイス・キャロル(一八三二〜九八) イギリスの作家、数学者。本名はチャールズ・ラトウィッジ・ドジソン。イングランド国教会の牧師の長男として生まれ、名門ラグビー校からオックスフォード大学のクライスト・チャーチ学寮へ進学。卒業後は数学講師となって生涯独身を通し、同大学構内で暮らした。一八六二年七月四日、学寮長リデル博士の娘の三姉妹をつれてボートで川を遡上し、ピクニックに出た途上、次女のアリスを主人公にして即興の物語を語った。その物語を増補して、人気画家テニエルの挿絵をつけて出版したのが『不思議の国のアリス』（一八六五）である。続編『鏡の国のアリス』も一八七一年に出た。当時流行していた教訓的な児童文学とは対照的に奇抜な登場人物、奇想天外なプロット、多彩な言語遊戯に彩られた本作は今日まで、文学・映画・美術・大衆文化に絶大な影響を与え続けている。

ブラム・ストーカー（一八四七〜一九一二）　アイルランド生まれの小説家、劇場支配人。ダブリンで生まれ、当地の名門トリニティ大学を卒業後、植民地政府の公務員として働くかたわら、演劇評論を手がけた。一時期オスカー・ワイルドの婚約者だったフローレンス・ボルカムと結婚後、ロンドンへ移住し、シェイクスピア劇などで知られる名優ジョン・アーヴィングがつねに出演するライシーアム劇場の業務管理者に就任、二十七年間、劇場経営にたずさわった。小説『ドラキュラ』（一八九七）は『ドラキュラ、または不死者』というタイトルで脚色され、アーヴィングの主演によって一回だけ（一八九七年五月十八日）ライシーアム劇場で上演された。

ジョゼフ・コンラッド（一八五七〜一九二四）　イギリスの小説家。ロシアの支配下にあったポーランド（現在のウクライナ）で生まれた。父親は詩や劇作をおこない、英文学とフランス文学の翻訳者でもあったが、ポーランド独立運動に参加して流刑、結核で死去した。クラクフで伯父に育てられたジョゼフは船員になるため、フランス船やイギリス船に乗って経験を積んだ。二十九歳のとき、イギリス国籍を取得、船長の資格も得て、アフリカのベルギー領コンゴなどへ行き、植民地支配の悪行を見た。三十七歳で陸に上がり、コンゴ行きを虚構化した小説『闇の奥』（一八九九）を皮切りに、英語で小説を次々に書く。複数の大学からの名誉学位や、ナイト爵授与の申し出を辞退した後、心臓発作で急死した。

ウィリアム・バトラー・イェイツ（一八六五〜一九三九）　アイルランドの詩人、劇作家。ダブリンで、地主階級のプロテスタント信徒であるアングロ＝アイリッシュ系の家に生まれた。少年の頃から母親の故郷である港町スライゴーに愛着を持ち、アイルランド西部に伝わる民話や伝説に取材した作品を書くことで文化ナショナリズムにめざめた。さらに、劇作家のグレゴリー夫人、Ｊ・Ｍ・シングらとともに、土地に根ざした文化の復興をめざす演劇運動を推し進めた。一九二二年、イングランドによる長年の植民地支配を脱し、自治権を確立したアイルランド自由国が成立すると、上院議員に任命された。翌年にはノーベル文学賞を受賞、名実ともにアイルランドの国民詩人となった。

ゾラ・ニール・ハーストン（一八九一〜一九六〇）　アメリカの小説家、民俗学者。フロリダ州イートンヴィル生まれ。父親はバプテスト教会の牧師で町長を務めた。ハーストンはハワード大学からバーナード・カレッジに進み、アフリカ系アメリカ人の民間伝承収集に目を開かれ、各地で収集活動をおこなった。創作家としては第一次世界大戦後のニューヨークで黒人文化の復興をおこなったハーレム・ルネサンスの一員に数えられる。『彼らの目は神を見ていた』（一九三七）はほら話などの口承文化を豊かに取り込んだ小説だが、抗議文学の要素が希薄であると批判され、無視された。ハーストンはやがて貧困と忘却のうちに死去した。再評価は一九七三年八月、小説家アリス・ウォーカーが雑草に埋もれた彼女の墓を探し出し、墓石を立てたのをきっかけにはじまり、研究・紹介が盛んになって現在に至っている。

ジョージ・オーウェル（一九〇三〜五〇）　イギリスの小説家。本名はエリック・アーサー・ブレア。イギリスの植民地だったインドで、総督府アヘン局に勤務するイギリス人の息子として生まれ、幼少時にイングランドへ帰国、奨学金を得てイートン校で教育を受けたが、大学へ進学せず、インド帝国警察に職を得てビルマで警察官になり、五年間勤務した。その後ヨーロッパへ戻って放浪生活を経験し、一九三六年には内戦中のスペインへ渡り、ファシストに対抗する左派の人民戦線の兵士として戦った。帰国後ＢＢＣに入社、アジア向けの番組制作にたずさわったが短期間で退職。ルポルタージュ、エッセイ、小説などを多数書いた中で、晩年の寓話小説『動物農場』（一九四五）が大ヒットを記録し、最後の小説『１９８４年』（一九四九）もベストセラーになった。だが喜びもつかのまで、持病の結核が悪化して死去した。

あとがき

さまざまな美味・珍味が並んだ、世界文学のデパ地下をお楽しみいただけたでしょうか？

この本をつくる作業をはじめたとき、現実のデパ地下や催事場の物産展では、試食販売がさかんにおこなわれていました。ところが、新型コロナウイルスによる感染症が蔓延して以降、心躍る味見は過去のものになってしまいました。オンラインで試食はできません。豊かな対面コミュニケーションをともなう華麗なる味見体験が、一日も早く復活することを心待ちにしています。

＊

この本をつくる作業の中で、じつにたくさんの外国文学の邦訳書にお世話になりました。明治以来読み継がれてきた外国文学の作品にはしばしば多数の日本語訳があります。古い詩や小説の解釈や位置づけは新訳の普及とともに更新され、新しい日本語で読まれることによって、それらの作品に新たな生命が吹き込まれてきました。明治時代に開拓され、今日まで使われてきた口語的な書きことばは、日本語翻訳者の文体と日本語作家の文体が互いに刺激しあう中で磨きあげられてきました。外国文学を日本語訳すること、そして外国文学を日本語訳で読むことは、日本語の文学作品を読み書きすることと直接結びついているのです。

本書では「世界文学」を英訳で読んでもらう試みを提案しましたが、この機会に「世界文学」を日本語訳でお読みになることも強くお勧めしたく思います。末筆ながら歴代の、そしてぼくたちの時代の、数々の邦訳書と翻訳者の方々に心からの感謝を捧げます。

筑摩書房の河内卓さんには本書をまとめるさまざまな局面で励ましをいただき、アイデアやお力を拝借しました。この本の中程にエリザベス・ビショップの「ひとつの技芸」という抒情詩が収録されています。この詩はずっと前から大好きな作品なのですが、一ページに収まりきらないので収録を諦めかけていたところ、河内さんもこの詩の大ファンで、学生時代に翻訳するほど熱を上げたという話を聞きました。そこでふたりで相談して、この詩のために特別枠を設けて入集しました。詩への愛ゆえのえこひいきをお許しください。

メルボルン在住のイラストレーター、Emi Ueokaさんはクールでやさしいイラストで、この本を飾って下さいました。こんなにかっこいいアンソロジーはちょっとないかも、と思ったりしています。

二〇二一年　初秋　東京

栩木伸明

栩木伸明 とちぎ・のぶあき
一九五八年生まれ。上智大学大学院文学研究科英米文学専攻博士課程単位取得退学。現在、早稲田大学教授。専攻はアイルランド文学・文化。著書に『アイルランド紀行』（中公新書）、『アイルランドモノ語り』（みすず書房、読売文学賞受賞）、訳書にウィリアム・トレヴァー『ラスト・ストーリーズ』『聖母の贈り物』（国書刊行会）、キアラン・カーソン『シャムロック・ティー』『琥珀捕り』（東京創元社）、コルム・トビーン『ブルックリン』（白水社）、ブルース・チャトウィン『黒ヶ丘の上で』（みすず書房）などがある。

筑摩選書 0219

世界《せかい》文学《ぶんがく》の名作《めいさく》を「最短《さいたん》」で読《よ》む
日本語《にほんご》と英語《えいご》で味《あじ》わう50作《さく》

二〇二一年一〇月一五日　初版第一刷発行

編訳者　栩木《とちぎ》伸明《のぶあき》
発行者　喜入冬子
発行所　株式会社筑摩書房
東京都台東区蔵前二-五-三　郵便番号　一一一-八七五五
電話番号　〇三-五六八七-二六〇一（代表）
装幀者　神田昇和
印刷 製本　中央精版印刷株式会社

ISBN978-4-480-01737-6 C0397

筑摩選書 0006

我的日本語 The World in Japanese

リービ英雄

日本語を一行でも書けば、誰もがその歴史を体現する。異言語との往還からみえる日本語の本質とは。日本語を母語とせずに日本語で創作を続ける著者の自伝的日本語論。

筑摩選書 0104

映画とは何か フランス映画思想史

三浦哲哉

映画を見て感動するわれわれのまなざしとは何なのか。本書はフランス映画における〈自動性の美学〉にその答えを求める。映画の力を再発見させる画期的思想史。

筑摩選書 0144

アガサ・クリスティーの大英帝国 名作ミステリと「観光」の時代

東秀紀

「ミステリの女王」アガサ・クリスティーはまた「観光の女王」でもあった。その生涯を「ミステリ」と「観光」を軸に追いながら大英帝国の二十世紀を描き出す。

筑摩選書 0166

いにしえの恋歌 和歌と漢詩の世界

彭丹

中国生まれ、日本在住の比較文学研究者が「恋歌」を入口に、和歌と漢詩の豊穣な世界を逍遥し、その違いを考え、古代の日本と中国に生きた人々の心情に迫る。

筑摩選書 0206

ディズニーと動物 王国の魔法をとく

清水知子

ウォルト・ディズニーが創造した魔法世界で姫と動物が織りなす物語は、現代の社会、文化、政治、自然に何をもたらしたか。映像表現が及ぼす私たちへの影響とは？